L'URBANISME AU QUÉBEC

ORGANISATION, LÉGISLATION ET PERSPECTIVES POLITIQUES

L'URBANISME AU QUÉBEC

ORGANISATION, LÉGISLATION ET PERSPECTIVES POLITIQUES

DANIELLE PILETTE, Ph.D.

Agence d'ARC Inc. (les éditions)
L'ÉDITEUR DES PME
6872, rue Jarry est, Montréal, Qc H1P 3C1
(514) 321-0241

La photocomposition, le montage ainsi que la figuration technique de cet ouvrage furent la responsabilité de «Composition Concept».

Dépôt légal: 2e trimestre 1986
Bibliothèque Nationale du Canada
Bibliothèque Nationale du Québec

ISBN: 2-89022-090-7

Table des matières

INTRODUCTION 9

CHAPITRE 1
UTILISATION ET ORGANISATION SPATIALE 19

La propriété et son exercice 20
Les fondements juridiques 20
L'exercice du droit et l'aménagement 23

L'utilisation publique du sol 26
Le partage des pouvoirs 27
Les effets sur l'aménagement 29

L'organisation fonctionnelle 32
L'habitation 34
Le commerce 36
L'industrie 37
La dynamique spatiale 38
L'émergence des banlieues 38
La transformation des quartiers anciens 39

CHAPITRE 2
CONTRÔLE LOCAL DE L'UTILISATION DU SOL 43

Le partage formel des compétences en matière de contrôle 44
La légitimité des intérêts 46
L'influence de la planification américaine 48
La forme juridique et instrumentale 50

Les limites du zonage 52
1. L'absence de discrimination 53
2. L'absence de prohibition d'un usage 54
3. La possibilité d'utilisation de la propriété 55
4. La non-expropriation 55
5. L'absence de sous-délégation 56
La pratique du zonage 56

CHAPITRE 3
PROMOTION FONCIÈRE ET IMMOBILIÈRE 63

La promotion et les promoteurs 65
L'organisation interne des entreprises de promotion au Québec .. 69
1. Un choix unanime: la compagnie à fonds social 69
2. Les activités assumées: quelque diversité et tendances à la diversification 70
3. Des sociétés de l'après-guerre 70
4. La minimisation des capitaux 70
5. Le caractère privé 71
6. Les nombres restreints d'actionnaires 71
7. Un personnel réduit 71
8. La propriété de biens immobiliers: l'implication d'une minorité de promoteurs 71
9. Homogénéité et différences chez les promoteurs 71
Le système des promoteurs 72
L'organisation des promoteurs pour l'intervention spatiale 75
1. La concordance des intérêts 75
2. Des promoteurs-entrepreneurs 76
3. L'évolution du contexte: la divergence des intérêts municipaux et de promotion 76

CHAPITRE 4
UNIFORMISATION DES STRUCTURES ET DES CONTRÔLES: LES LOIS-CADRES 79

La Loi sur la protection du territoire agricole 80
Les principes: les objets du contrôle 82
La détermination des territoires d'application 83
Le mandat de la Commission de protection du territoire agricole 84
La reconnaissance de droits acquis généraux 86
L'absence de droits acquis spécifiques au prélèvement du sol arable 87

La Loi sur l'aménagement et l'urbanisme 88
Le schéma d'aménagement 91
Les instruments municipaux 95
Les difficultés posées par la Loi 97

La loi sur la fiscalité municipale 99
L'établissement des revenus fiscaux municipaux 102
L'établissement des revenus municipaux autres que fiscaux ... 103
Les dispositions concernant l'aménagement et l'urbanisme ... 104
Les dispositions concernant les fermes et les boisés 106
Les mesures connexes 106

L'uniformisation et la souplesse 108

CHAPITRE 5
L'IMPACT DE LA RÉFORME 111

L'effet sur la promotion 112
La restriction spatiale des pouvoirs municipaux 113
Le nouveau partage des pouvoirs en matière d'utilisation du sol 115
Les restrictions affectant les transactions et le lotissement..... 118
Les nouvelles conditions d'exercice de la promotion 118
1. La réduction des ressources en sol-support 119
2. L'affirmation du pouvoir municipal 119

L'effet sur la cohésion gouvernementale 120
«Aménager l'avenir» 121

L'effet sur les rapports entre le Gouvernement du Québec et le milieu municipal 124

L'effet sur l'aménagement et l'urbanisme 133

La pertinence de la réforme 135

CHAPITRE 6
LE COMPLÉMENT DE LA RÉFORME: LA PROPOSITION DE RESTRUCTURATION DU DÉVELOPPEMENT RÉGIONAL 139
Le projet 141
La superposition des réformes 144
Le problème escamoté: le cas de Montréal et de l'Outaouais . 145
Le fonctionnement hypothétique 147

CONCLUSION 151

BIBLIOGRAPHIE 157

Introduction

L'urbanisme tel qu'entendu au titre de cet ouvrage réfère à un ensemble, à un contexte. Ce choix vise à tenir compte de deux ordres de réalités: d'une part, l'absence de consensus quant aux délimitations précises de l'urbanisme comme champ de connaissances et d'autre part, l'inscription de l'urbanisme en tant que secteur d'intervention, de pratique professionnelle ou d'intérêt, dans un système ouvert. La reconnaissance de ce deuxième aspect ne devrait toutefois pas masquer la spécificité urbanistique comme c'est malheureusement trop souvent le cas. En effet, plusieurs années après l'implantation de programmes universitaires et collégiaux en la matière, la formation d'une corporation professionnelle, nombre de discussions et de consultations publiques, la parution de rapports gouvernementaux, et l'adoption de lois-cadres, et peut-être justement en partie à cause de ces phénomènes et de leur faible niveau de convergence, il existe toujours une certaine confusion dans le public en général en ce qui concerne l'aménagement, l'urbanisme, l'urbanisation, le rôle de l'administration municipale, l'application des instruments d'urbanisme. Si des écrits ou d'autres modes de communication peuvent viser la minimisation de cette relative confusion, il faut admettre que le sujet urbanistique s'avère fort complexe et que le recours à des simplifications malheureusement souvent trop réductrices est à peu près inévitable. La complexité sur laquelle nous ne saurions trop insister est attribuable au fait que l'urbain est essentiellement un phénomène de société, bien qu'inscrit concrètement dans l'espace et dans le cadre physique (dimension physico-spatiale).

En tant que phénomène de société, l'urbain reflète des dimensions sociales, culturelles, démographiques, économiques. D'ailleurs, à l'origine grecque, la cité référait à un mode d'organisation et à un niveau de sociabilité sinon de sociétisation. Ce sens donné à l'urbain persiste même de nos jours dans l'acceptation courante: poli, sociable, presque mondain. «Sortent deux têtes, sur des épaules, qui prennent des airs urbains.»[1] De plus, en tant que phénomène de société, l'urbain s'incorpore dans des ensembles d'objets des interventions politiques et institutionnelles. Son analyse nous amène donc à examiner aussi le cadre politico-administratif, la problématique globale des interventions sur les phénomènes de société, les enjeux. Elle nous oblige à prendre en compte des considérations complexes et à élargir notre perspective.

Le terme **urbanisation** se distingue du terme *urbain* ou du terme *ville* en ce qu'il désigne un phénomène dynamique de développement ou de croissance par rapport au territoire (territoire urbanisé par rapport à un territoire rural ou même par rapport à un état d'absence d'occupation humaine) et par rapport à l'espace (espace plus ou moins densément occupé). L'urbanisation concerne donc un phénomène dynamique qualitatif et quantitatif d'organisation sociétale dans une dimension physico-spatiale. Il faut insister sur la complémentarité des aspects qualitatif et quantitatif même si la dimension qualitative, plus abstraite, est plus difficile à cerner. Du point de vue quantitatif, on dira par exemple qu'une société est urbanisée à 80 %, signifiant par là que 80 % de la population habitent des centres définis comme urbains sur la base d'un seuil minimum de population. Du point de vue qualitatif, l'urbanisation en tant que phénomène dynamique est interreliée à l'établissement et au renforcement de liens et d'interactions complexes et multiples, par exemple entre les personnes (réseaux sociaux), entre les organisations et entreprises, entre les fonctions urbaines (par exemple entre la fonction industrielle et la fonction transport) ainsi qu'entre les espaces mêmes qui y sont consacrés. En ce sens, la multiplicité et la diversité sont qualitativement inhérentes à l'urbanisation.

1. Roman de Marie Cardinal, *Une vie pour deux*, Montréal, Étincelle, p. 98.

Par conséquent, le terme ville désigne simultanément un milieu d'inscription d'une dynamique sociétale en termes socio-économiques, culturels, démographiques; un lieu d'épanouissement de différents types de rapports; une entité territoriale définie; une entité politico-administrative légalement constituée et à laquelle sont confiés des pouvoirs précis. Sous ce dernier aspect, la ville peut être désignée comme une collectivité locale, une administration municipale représentant des intérêts généraux idéalement harmonisant des intérêts particuliers mais en pratique se situant parfois en opposition à de tels intérêts. Parmi les pouvoirs dévolus aux municipalités se trouve celui de l'urbanisme sans toutefois l'exclusivité de sa pratique puisque d'autres instances, tant publiques que privées, s'impliquent en la matière si l'on admet que:

> «L'urbanisme, c'est donc la planification et la gestion de l'espace occupé par l'homme lorsqu'il se regroupe pour habiter, travailler, se détendre ou exploiter des ressources.»[2]

Cette définition est en effet suffisamment large pour tenir compte de la réalité des pratiques d'une multiplicité d'intervenants, avec ou sans encadrement municipal ou gouvernemental bien que ce type d'encadrement ait été formalisé et généralisé, particulièrement au cours des vingt dernières années. La spécificité de l'urbanisme tient bien davantage au caractère de la démarche qu'au consensus quant à des solutions, des modèles, des produits.

> «Ce terme même doit être tout d'abord défini, car il est lourd d'ambiguïté. Annexé par le langage courant, il y désigne aussi bien les travaux du génie civil que les plans de villes ou les formes urbaines caractéristiques de chaque époque. En fait, le mot «urbanisme» est récent. G. Bardet fait remonter sa création à 1910. Le dictionnaire Larousse le définit comme «science et théorie de l'établissement humain». Ce néologisme correspond à l'émergence d'une réalité nouvelle: vers la fin du XIXe siècle, l'expansion de la société industrielle donne naissance à une discipline qui se distingue des arts urbains antérieurs par son caractère réflexif et critique, et par sa prétention scientifique.»...

2. Claude Lavoie, *Initiation à l'urbanisme,* p. 16.

> «L'urbanisme ne met pas en question la nécessité des solutions qu'il préconise. Il prétend à une universalité scientifique: selon les termes d'un de ses représentants, Le Corbusier, il revendique «le point de vue vrai». Mais les critiques adressées aux créations de l'urbanisme le sont également au nom de la vérité. À quoi tient cet affrontement de vérités partielles et antagoniques? Quels sont les paralogismes, les jugements de valeur, les passions et les mythes que révèlent ou dissimulent les théories des urbanistes et les contre-propositions de leurs critiques?»[3]

Si donc l'urbanisme concerne une multiplicité d'intervenants et n'a pas donné lieu à un processus d'uniformisation de ses produits dans leur ensemble, il en va tout autrement en ce qui concerne «l'instrumentation d'urbanisme». Celle-ci est systématiquement placée sous responsabilité gouvernementale ou municipale tant pour sa conception que pour son application; elle bénéficie d'un statut formel, juridique (loi ou règlement); particulièrement dans le cas des règlements, des balises sont préalablement admises quant aux points qui peuvent y être abordés et quant à leur mode de traitement. Ces instruments d'urbanisme dont il est question ici sont particulièrement les schémas et les plans, le zonage, le contrôle du lotissement. Bien sûr, leurs prescriptions traduisent la vision urbanistique propre à leur concepteur mais leur forme et leur statut juridique est relativement standard pour chaque instrument. Dans ce contexte où les possibilités de l'outil sont plus claires ou mieux explorées que les objectifs globaux poursuivis ou que la nature de l'oeuvre à accomplir, il est fort possible que l'on accorde davantage d'importance à l'instrumentation comme mode de solution de séries de problèmes ponctuels et que l'on en arrive à négliger les propositions, les modèles, la mise au point d'un véritable langage urbanistique. Aussi a-t-on fréquemment l'impression que la pratique de l'urbanisme se concrétise dans celle, institutionnalisée, formalisée, de l'instrumentation d'urbanisme.

C'est en tenant compte de cette réalité de dérivation et de réduction du terme «urbanisme» que nous avons plutôt choisi de

---

3. Françoise Choay, *L'urbanisme, utopies et réalités*, p. 8.

privilégier l'examen du contexte urbanistique. Il nous permet d'analyser aussi des structures, les instances responsables, des enjeux, d'autres compétences et pouvoirs, concurrents ou complémentaires, qui déterminent l'évolution de l'urbanisme et de ne surtout pas nous cantonner à la seule instrumentation et à son formalisme.

Ce choix étant effectué, il importe de souligner en quoi le contexte québécois peut attirer particulièrement notre attention. Évidemment, l'urbanisme présente un caractère général et généralisable quant à sa source, la société industrielle, ainsi que quant à ses méthodes, à ses démarches, à ses revendications de légitimité scientifique. Donc, sa pratique, au sens le plus large, ne saurait être très différenciée par exemple en Occident. De fait, il est admis que les villes québécoises, et Montréal en particulier, présentent le caractère des villes nord-américaines auxquelles s'ajoute un rappel européen. Mais dans la mesure où le contexte institutionnel et juridique est spécifique, de même que le nombre et le découpage des agglomérations, le réseau des divers intervenants, ainsi que les facteurs démographiques, sociaux, politiques, économiques, territoriaux, le contexte urbanistique prend aussi une dimension distincte.

L'urbanisme, au sens de pratiques structurées formalisées et professionnalisées sur l'objet urbain, s'est développé au Québec surtout dans l'après-guerre et s'est généralisé dans les années '60. Sa manifestation la plus courante, la mise en vigueur d'instruments d'urbanisme municipaux, l'inscrivait dans un très ancien débat, celui de l'intérêt collectif, opposé à l'intérêt individuel auquel il était censé faire contrepoids. L'intérêt individuel, celui des propriétaires, des contribuables, était balisé depuis très longtemps par le Code civil, spécifique au Québec, et par une jurisprudence volumineuse. L'intérêt collectif a nécessité une activité législative et réglementaire intense qui d'ailleurs se poursuit.

> «Ces développements législatifs d'importance procèdent, peut-on affirmer, d'une nouvelle philosophie contemporaine du contrôle de l'aménagement du territoire dont on peut exprimer l'essence dans les propositions suivantes; d'abord que le libre marché ne suffit plus à assurer la conservation et le développement optimum de la com-

> modité limitée qu'est le sol, ensuite que certains problèmes d'aménagement ont atteint des dimensions telles qu'elles nécessitent une intervention de l'autorité publique sur les intérêts privés et enfin que le droit de propriété n'est plus un droit absolu et qu'il doit souffrir d'importantes restrictions au nom de l'intérêt public.»[4]

Donc, dès les années '60, les conditions étaient en place pour la concrétisation d'un débat perpétué depuis les philosophes grecs, celui de l'intérêt public et de l'intérêt privé. Dans le cadre qui nous intéresse, ce débat ou ce dilemme prenait des nuances particulières puisque l'objet en était bien moins le droit de propriété privée en tant que tel que l'un de ses attributs en particulier, le droit d'utilisation, auquel s'opposait un droit public de contrôle de l'utilisation ainsi qu'un droit d'utilisation publique. Les limites des droits du propriétaire n'étaient donc plus seulement établies par les droits des autres propriétaires ou du voisinage mais aussi par les pouvoirs de contrôle des gouvernements supérieurs et de la municipalité. Le palier municipal se révélait très présent, conférant un statut formel, en l'occurrence réglementaire, au plan directeur ou plan d'urbanisme et aux autres instruments conçus en principe sur mesure pour chaque municipalité selon les préceptes de l'urbanisme professionnalisé. Ces instruments n'étaient bien sûr pas parfaits mais l'auraient-ils été que leur application cas par cas, au fil des demandes de permis et des requêtes d'utilisation effective du sol, aurait quand même soulevé des problèmes de toutes sortes que le conseil municipal aurait dû résoudre. Ces mises au point ponctuelles, généralement nombreuses, de même que les mesures d'adaptation à une évolution plus générale ont entraîné un nombre élevé de règlements d'amendements dans la plupart des municipalités de même qu'un certain nombre d'incohérences s'accumulant au fil des pratiques.

Outre ces imperfections maintes fois signalées, on notait des problèmes échappant à peu près complètement aux interventions du secteur public. En tête de liste: le commerce du sol et la promotion c'est-à-dire l'appropriation et la mise en réserve du sol par

---

4. Lorne Giroux, «Le nouveau droit de l'aménagement... ou l'enfer pavé de bonnes intentions», *Revue générale de droit*, vol. 11, n° 1, p. 65.

divers intervenants dans le développement urbain ou au bénéfice de ces intervenants dont les promoteurs. La constitution de larges réserves de terrains modelait l'évolution urbaine à travers une foule de micro-décisions et posait le problème d'un choix politique, celui «de la simple vente du casseau de fraises à la vente du fraisier compris».[5]

De l'élection générale de novembre 1976 au Québec émanait une nouvelle majorité gouvernementale. Dès son premier mandat, celle-ci allait non seulement répondre aux situations constatées mais modifier substantiellement le contexte urbanistique en l'inscrivant dans l'ensemble de ses orientations en matière nationale, en matière sociale et en matière administrative. Du traitement du contexte urbanistique à travers le prisme autonomiste, le prisme social-démocrate et le prisme «bon gouvernement» résulte donc une réforme touchant à peu près simultanément la protection du territoire agricole (défini extensivement), l'aménagement et l'urbanisme, ainsi que la fiscalité municipale. Le contexte urbanistique québécois continue certes de représenter la recherche d'un équilibre entre les visions privées et publiques du physico-spatial, entre l'utilisation et le contrôle de l'utilisation du sol. Mais à ce palier du contexte urbanistique, la réforme en superpose un autre: celui de l'imbrication des structures responsables et celui de la complémentarité des politiques. Les municipalités, rurales et urbaines, font désormais partie de municipalités régionales de comté au sein desquelles elles se concertent, du moins minimalement pour la production d'un schéma d'aménagement devant paraître acceptable aussi au gouvernement. Les champs de concertation s'étendent de plus non seulement à l'aménagement et à l'urbanisme au sens strict mais aussi, du moins pratiquement, à la protection de l'environnement, à la protection du patrimoine, et même, éventuellement, au développement régional.

Il y a à peine quelques décennies, le Québec se caractérisait par son abstention d'activité urbanistique formalisée conséquente.

---

5. Francine Dansereau et Marcel Gaudreau, *Commerce du sol et promoteurs à Montréal*, p. 11.

Dès son introduction, la pratique de l'urbanisme s'y est révélée ardue pour toutes sortes de raisons juridiques, institutionnelles, politiques et autres. Mais dès 1978-1979, il ne s'agissait plus de faire de l'urbanisme pour faire de l'urbanisme, il ne s'agissait plus de consolider une pratique bénéfique en elle-même. L'attention était captée par la formation de nouvelles structures et par l'établissement d'un équilibre politique sur la base territoriale. Il s'agissait dès lors de considérer l'urbanisme soit comme un enjeu soit comme une sorte de concrétisation de la concertation, un mode de traduction de politiques beaucoup plus vastes.

★ ★ ★ ★ ★ ★ ★ ★

Le présent ouvrage propose des thèmes qui constituent l'essentiel du contexte urbanistique, tout en ne les développant que dans leur particularité québécoise et que dans des dimensions plutôt pragmatiques. Ces thèmes sont d'abord ceux de l'utilisation et de l'organisation spatiale; du contrôle de l'utilisation du sol; de la promotion foncière et immobilière.

La plupart des activités humaines exigent la disponibilité d'un espace adéquat, individuel, familial, ou de groupe. Certains de ces espaces sont polyvalents en ce sens qu'ils se prêtent simultanément ou successivement à divers types d'utilisations et d'utilisateurs. L'utilisation de l'espace est donc monnaie si courante qu'elle ne suscite pas nécessairement l'attention. Cependant, certaines décisions importantes comme l'acquisition d'un terrain ou la construction d'un édifice ou d'une résidence sont en général évaluées soigneusement par les personnes directement impliquées. Outre l'intérêt particulier de ces micro-décisions rattachant l'utilisation du sol à la propriété et à l'exercice de ce droit, un intérêt collectif se dégage du fait que le sol constitue une ressource limitée d'une part et que d'autre part son utilisation, une fois déterminée, est relativement permanente. Même si la collectivité bénéficie de la multiplicité et de la diversité des usages, elle a donc un intérêt à la compatibilité des usages entre eux, ce qui n'émane pas automatiquement d'une série de prises de décision ponctuelles. Enfin, la collectivité peut avoir un intérêt à assumer elle-même certaines utilisations qui ne seraient réalisées autrement ni par des individus ni par des groupes spécifiques. Sous le thème de l'utilisation et de l'organisation spatiale seront donc abordées, dans un ordre allant des micro-décisions aux niveaux collectifs, la propriété et son exercice, l'utilisation publique du sol, et l'organisation fonctionnelle de l'espace. L'aspect contrôle de l'utilisation du sol sera ensuite examiné quant au partage des pouvoirs qu'il implique entre les paliers gouvernementaux et quant à sa forme la plus connue, le contrôle municipal local par réglementation d'urbanisme. Ensuite, sera traité le phénomène de la promotion foncière et immobilière qui concerne le transit des propriétés en phase de détermination d'utilisation du sol à l'intérieur d'un réseau d'intervenants spécialisés.

À ces trois parties certes dynamiques mais durablement implantées dans le contexte urbanistique, en ce sens qu'elles en constituent la toile de fond, s'ajoute l'évolution récente dont trois aspects constitueront aussi des thèmes spécifiques: les lois-cadres; l'impact de la réforme; la proposition de développement régional en tant que complément de la réforme.

Les lois-cadres sont celles qui concernent la protection du territoire agricole, l'aménagement et l'urbanisme, ainsi que la fiscalité municipale. La première consiste essentiellement à centraliser l'identification et le maintien du caractère agricole alors que les deux autres lois visent la redéfinition de pouvoirs locaux et la création d'une nouvelle instance supra-municipale, la municipalité régionale de comté. Malgré cette différence, les lois-cadres ont comme point commun d'uniformiser, pour les mêmes catégories de territoires (territoire agricole, territoire local, territoire régional d'appartenance), les structures c'est-à-dire les instances responsables et leur mode de fonctionnement ainsi que les contrôles c'est-à-dire les instruments dont elles disposent (y compris les instruments financiers). Cette réforme majeure en matière d'organisation territoriale véhicule une ampleur comparable à celle des grandes réformes de la période de la révolution tranquille particulièrement dans les secteurs de l'éducation et de la santé. Nous tenterons d'en cerner l'impact quant à l'aspect physico-spatial du contexte urbanistique et plus spécifiquement d'une part quant à la promotion et d'autre part quant à l'aménagement et à l'urbanisme en tant que secteurs particuliers d'intervention. Mais puisqu'il s'agit aussi d'une réforme des structures et des pouvoirs, nous viserons à en dégager les dimensions politiques particulièrement quant à l'initiateur même de la réforme, le gouvernement québécois, et aussi quant aux rapports entre le gouvernement et les municipalités. Enfin, la proposition de développement régional sera traitée en tant qu'indicateur de l'orientation de l'ensemble des mesures réformistes.

Si chacun des six (6) thèmes qui seront abordés par la suite nous paraît constituer une composante essentielle du contexte urbanistique québécois actuel, il faut se demander aussi comment ces composantes s'articulent les unes par rapport aux autres. Or, elles ne nous paraissent ni complètement indépendantes ni complètement dépendantes. La plupart se développent par elles-mêmes avec des zones d'interaction à d'autres composantes, ce qui modifie les conditions de leur fonctionnement. De plus, chaque composante du contexte urbanistique s'ouvre sur des composantes d'autres systèmes: système constitutionnel canadien, système politique québécois, système du financement immobilier, etc. Aussi, faut-il admettre qu'une réforme, même appuyée par des lois-cadres, a ses limites et que si elle est susceptible de modifier le cours des tendances, elle n'abolit pas et ne vise d'ailleurs pas nécessairement à abolir les grands courants d'une époque.

1 Utilisation et organisation spatiale

L'examen global des utilisations du sol dans plusieurs régions métropolitaines peut permettre de dégager quelques modèles de développement qu'expliquent des facteurs économiques, financiers, sociaux et bio-physiques. Dans un certain climat de libéralisme spatial, il semblerait que les régions métropolitaines se développent toutes plus ou moins selon le modèle des zones concentriques, ou celui des secteurs, ou celui des noyaux multiples, et s'articulent dans tous les cas à partir d'un centre-ville d'affaires («C.B.D.», c'est-à-dire «Central Business District»).[1] De la même façon, il est possible de trouver une relative constance architecturale aux bâtiments résidentiels montréalais d'une époque donnée.[2] Enfin, le mode de développement rural fut relativement uniforme dans tout le Québec où chaque village, filiforme, a pour coeur l'église, quelques édifices éducatifs, et quelques commerces et bureaux professionnels.

Malgré l'influence, parfois déterminante, de différents facteurs d'uniformisation au niveau des villages, des quartiers, des métropoles, il n'en demeure pas moins que les décisions d'utilisation du

1. Consulter S. Chapin, *Urban Land Use Planning*, p. 14-21.
2. Consulter Jean-Claude Marsan, *Montréal en évolution*.

sol sont prises cas par cas, c'est-à-dire ponctuellement, et qu'elles reposent sur le droit de propriété, lequel procure à son détenteur de vastes pouvoirs. L'ensemble de ces pouvoirs exercés par chaque détenteur concrétise le développement, qu'il soit urbain ou rural.

► La propriété et son exercice

Les fondements juridiques[3]

C'est après l'abolition du système seigneurial qu'est apparue la forme de propriété que nous connaissons actuellement au Québec. Elle est définie par le Code civil dont l'adoption est antérieure à l'Acte de l'Amérique du Nord Britannique (A.A.N.B.) et dont le territoire d'application est spécifiquement québécois.

Le Code civil prévoit trois possibilités quant à l'appartenance des biens, lesquels sont donc détenus soit par l'État soumis au droit public et aux lois administratives, soit par les municipalités ou autres corporations (commissions scolaires, hôpitaux, etc.) assujetties à des règles et formalités qui leur sont propres, soit finalement par les particuliers auxquels on permet en principe la libre disposition. Toute chose susceptible d'appropriation est soumise à une relation de propriété au bénéfice d'une personne, physique ou morale, l'État étant le propriétaire original et résiduaire. Il convient de distinguer la possession de la propriété. La première n'est pas un droit mais un fait ou un ensemble de faits. Même si, normalement, la possession est la manifestation d'un droit, elle peut exister sans droit. Le droit de propriété est la relation juridique entre la chose et le titulaire et il se superpose au fait de la possession. Il peut précéder la prise de possession dans certains cas de vente, de donation ou d'échange et permet toujours de la conserver. Essentiellement, le droit de propriété est un monopole reconnu à une personne sur une chose. Il est un droit réel, principal, et il est aussi le droit le plus complet.

3. Consulter particulièrement Pierre Martineau, *Les biens*, cours de Thémis, Université de Montréal.

Le droit réel porte directement sur une chose par opposition au droit personnel qui s'exerce contre une personne. Ainsi, le droit du propriétaire porte sur un terrain ou sur un terrain et sur un édifice alors que les droits du locataire peuvent lui permettre d'exercer des recours contre le propriétaire. Le droit de propriété est de plus principal et il se distingue ainsi du droit accessoire comme la garantie d'une créance par hypothèque. Enfin, le droit de propriété est considéré comme le droit le plus complet en ce sens que ses attributs confèrent au titulaire de vastes pouvoirs.

Les trois (3) attributs du droit de propriété sont:

— «l'abusus» ou droit de disposer de la chose;
— «l'usus» ou droit de se servir de la chose;
— le «fructus» ou droit de jouir de la chose et d'en percevoir les fruits ou les produits.

En vertu de l'abusus, le propriétaire peut disposer physiquement et légalement de son bien immobilier (terrain et/ou bâtiment). La disposition physique implique le pouvoir de construire, transformer ou démolir alors que la disposition légale implique le pouvoir de céder par transaction (par exemple vente) ou de léguer par testament, d'échanger. L'usus autorise le propriétaire à déterminer les fins auxquelles sera destiné le bien immobilier. Un propriétaire d'un terrain vacant peut donc y réaliser un ciné-parc ou un terrain de camping. Un propriétaire d'immeuble peut le consacrer à un usage résidentiel ou à un usage commercial (un bureau d'affaires, un salon de coiffure ou un restaurant par exemple). Enfin, le fructus permet au propriétaire de bénéficier des revenus générés, qu'il s'agisse des loyers perçus en compensation de la location d'une partie ou de la totalité de la propriété, ou des biens naturels (fleurs ou fruits produits par exemple).

Le droit de propriété est perpétuel en ce sens qu'il est attaché à la chose et que sa durée est celle de la chose même si le titulaire en change suite à une transaction ou à un legs. Cependant, il peut se produire une scission temporaire des attributs du droit et ce, même pour un temps relativement long. Par exemple, un testateur peut léguer une propriété à son fils tout en léguant l'usufruit à son épouse jusqu'au décès de celle-ci. Au décès du testateur, le droit de propriété sera scindé à la faveur de l'épouse mais le décès de celle-ci entraînera la réunification du droit. L'épouse bénéficie dans ce cas d'une servitude personnelle.[4] La propriété peut aussi être grevée de servitudes réelles comme la servitude de vue permettant à un propriétaire voisin d'avoir des jours ou vues qui autrement seraient illégaux à cause des distances minimales à respecter. Le droit de passage au cas d'enclave représente un autre type de servitude réelle accordé par un propriétaire à un autre dont le fonds n'offre pas d'accès à la voie publique.

Le droit de propriété inclut l'accession à ce qui est produit par la chose de même qu'à ce qui s'y unit ou s'y incorpore. Soulignons aussi que la propriété immobilière n'est pas une surface mais un volume et que le droit porte sur l'espace aérien et souterrain. Cependant, l'espace aérien est limité par l'intérêt du propriétaire et restreint pour l'aviation ainsi que, éventuellement, par les servitudes. De même, le droit sur le tréfonds est restreint lorsque des mines y sont en cause. De sorte qu'aujourd'hui, le propriétaire du sol ne l'est plus «des enfers jusqu'au ciel» mais de tout espace qui domine son terrain et qui est utilisable de façon pratique. L'aliénation du dessus alors que le sol et le tréfonds sont conservés donne lieu à un droit de superficie.

La correspondance entre le sol, objet du droit de propriété, et le droit lui-même est établie par le cadastre[5] qui peut être défini comme l'ensemble des documents qui constituent le relevé détaillé de la propriété foncière dont les principaux sont le plan et le livre de Renvoi officiels.[6] Le cadastre repose donc sur un levé topographique détaillé des limites de propriétés au sol. Les modifications apportées au sol objet du droit (par exemple subdivision) ou au droit de propriété lui-même (par exemple transaction amenant un changement de titulaire) sont compilées et intégrées aux documents officiels. Ceux-ci peuvent être consultés au bureau d'enregistrement du comté où se trouve la propriété.

---

4. Cette expression, consacrée par le droit romain et l'ancien droit, n'apparaît pas dans le Code civil qui a cependant conservé les institutions désignées par ces mots.
5. Voir André-B. Fréchette. *Étude sur les levés cadastraux dans la province de Québec*, Faculté de foresterie et de géodésie, Université Laval.
6. Cette expression est remplacée par celle de «plan cadastral» en vertu de la Loi favorisant la réforme du cadastre québécois.

L'exercice du droit et l'aménagement

Le droit de propriété, étant considéré dans notre système politico-juridique comme un droit très étendu, permet toute liberté au propriétaire en autant qu'il ne contrevient à aucune de ses obligations et à aucune mesure visant le respect du voisinage et de la collectivité. *Ce principe accorde donc de fait une priorité à la liberté d'utilisation du sol sur le contrôle de l'utilisation du sol. Car d'une part, ce dernier doit exister dans une forme précise et explicite pour prévaloir contre le premier. D'autre part, si le contrôle peut empêcher certaines utilisations, il ne peut à lui seul en induire aucune.* Pour qu'une utilisation souhaitée par la collectivité se réalise, il faut qu'elle soit décidée par un propriétaire et ce, même si un locataire occupe les lieux. Par exemple, un locataire ne pourrait transformer son logement en local commercial si le bail précise qu'il s'agit d'une location aux fins d'habitation. La propriété en tant que condition nécessaire à la détermination de l'utilisation du sol, ne l'entraîne cependant pas nécessairement. Ainsi, un propriétaire peut retenir son fonds sans l'utiliser. C'est le cas des fermes abandonnées en milieu rural et des terrains vacants en milieu urbain ainsi que des édifices abandonnés. Dans certains de ces cas, le propriétaire mise sur une plus-value éventuellement conférée à sa propriété par la proximité d'équipements collectifs ou la modification du milieu environnant. Il peut aussi exploiter temporairement son fonds par une utilisation convertible du sol comme un terrain de stationnement qui génère des revenus et permet de capter ultérieurement la plus-value attribuable à la localisation du terrain. Cette pratique conduit, dans les secteurs où elle est importante, à une discontinuité du tissu urbain et à une sous-utilisation des équipements d'infrastructure.

La fréquence des transactions ayant pour objet une propriété donnée exerce aussi un impact sur la détermination ultérieure de l'utilisation du sol. Généralement, chaque transaction comporte une plus-value récupérée par le vendeur. L'accumulation de ces plus-values dans le prix de la propriété peut déterminer le choix de l'utilisation du sol, laquelle devra rentabiliser la valeur finale de la propriété. La rentabilisation peut se traduire par le choix d'une densité élevée (ex.: multifamilial plutôt qu'unifamilial) lorsqu'il s'agit de construire sur un terrain vacant, ou par le choix d'une mutation d'usage (ex.: transformation d'une résidence en local commercial, ou en maison de chambres).

Les mutations de propriété peuvent aussi influencer l'utilisation ultérieure du sol lorsqu'elles impliquent des superficies différentes de la superficie originale de chaque propriété. De telles mutations en milieu rural ou péri-urbain impliquent généralement un morcellement de la superficie par exemple lorsqu'un propriétaire de deux fonds adjacents les transige séparément. Le morcellement peut aussi s'effectuer par lotissement c'est-à-dire par subdivision d'une propriété en plusieurs lots distincts. Il influence alors l'utilisation ultérieure du sol dans le sens d'une moindre densité puisque la faible superficie de chaque nouvelle propriété ne permet par exemple qu'un usage unifamilial ou qu'un autre usage isolé. À l'inverse, au centre-ville ou en milieu fortement urbanisé, on peut constater plusieurs exemples de remembrement, lequel consiste à regrouper des propriétés adjacentes en leur donnant un statut de propriété unique. Cette opération permet de réaliser des projets d'utilisation du sol de grande envergure.

Les modifications apportées à la propriété, pourtant déterminantes pour l'aménagement ultérieur, sont de nature juridique et donc souvent non immédiatement perceptibles à l'examen visuel du milieu, qu'il s'agisse de lotissement ou de remembrement, de fractionnement par transaction, ou de mutation de propriété. De plus, plusieurs de ces opérations peuvent être cumulées. L'impact qu'elles exerceront sur le milieu physico-spatial dépend aussi des intervenants impliqués, des réseaux dans lesquels ils s'inscrivent et de la globalité de leur projet. Effectués à la pièce, les lotissements successifs d'une vaste propriété peuvent se révéler désastreux sur le plan de l'aménagement si des accès directs à la voie publique n'ont pas été prévus ou si les types d'édifice érigés sont trop dissemblables. On peut voir les effets de tels aménagements ponctuels dans certains milieux urbains anciens. Par contre, les projets globaux présentent souvent une cohérence interne qui n'assure pas pour autant leur intégration ni même leur compatibilité avec les milieux environnants.

Un certain nombre d'aménagements, surtout dans les milieux plus fortement urbanisés, reposent maintenant sur la copropriété, soit ordinaire ou indivise, soit divise («condominium»). La forme la plus ancienne de copropriété, l'indivision, a eu longtemps le testament comme source à peu près unique. Suite à cet acte juridique, plusieurs personnes se trouvaient donc conjointement propriétaires d'une même chose ou d'un même ensemble de choses. Aujourd'hui, le contrat entre plusieurs personnes est une source fréquente d'indivision volontaire particulièrement quant à la propriété de résidences bi ou trifamiliales, ou multifamiliales. La particularité de la copropriété indivise consiste en la reconnaissance d'un droit de propriété à plusieurs personnes sur une même chose ou sur un même ensemble de choses, qui n'appartient à chacune que pour une quote-part intellectuelle. Le droit de chacun porte donc sur une fraction abstraite de l'ensemble et non sur une portion physique déterminée. Ainsi, lorsque deux copropriétaires indivisaires détiennent à parts égales une résidence bifamiliale (duplex), ils sont chacun propriétaires de 50 % de la résidence mais ne peuvent prétendre être propriétaires du premier plancher, pour l'un, et du second, pour l'autre. Chacun peut disposer de sa quote-part et, par exemple, l'aliéner. Cependant, la résidence ne peut être vendue qu'avec l'assentiment des deux copropriétaires indivisaires. La copropriété divise est une forme plus récente, institutionnalisée au Québec en 1969. Dans ce type se retrouvent la copropriété par étage et la copropriété par appartement («condominium»). Chaque copropriétaire est titulaire de sa part physique du bâtiment et d'une fraction intellectuelle des parties communes: terrain, toit, murs extérieurs, etc.

Enfin, il est important de souligner que l'emphytéose constitue une formule dont certains aménagements d'envergure sont tributaires. Il s'agit d'un droit réel, produit par un contrat, soit le bail emphytéotique. En vertu de ce contrat, l'emphytéote, ou preneur, bénéficie de droits sur le bien immobilier du bailleur en contrepartie d'améliorations à apporter et d'une redevance annuelle, appelée canon emphytéotique, à payer. La nature des améliorations en cause et le montant de la redevance doivent être précisés dans le contrat de même que la durée du bail emphytéotique, laquelle doit être obligatoirement de plus de neuf ans mais dont le maximum est de 99 ans. Cette formule offre au propriétaire l'avantage de conserver son titre à long terme sans pour autant s'impliquer dans la production de l'aménagement déterminé ni dans la gestion de l'ensemble. Quant au preneur, il peut ainsi accéder à la localisation convoitée pour une période de temps déterminée après laquelle il sera libéré de ses obligations. Il s'évitera donc les éventuels frais de reconversion qui s'imposent dans un édifice âgé.

► L'utilisation publique du sol

Nous avons établi précédemment que l'utilisation privée du sol repose sur le droit de propriété, auquel peu de limitations sont inhérentes. L'utilisation privée est toutefois évidemment soumise à des contraintes de réalisation, telles celles du financement et celles, de plus en plus importantes, de la disponibilité des sites convoités. Quant à l'utilisation publique du sol, elle comporte en principe, contrairement à l'utilisation privée, ses propres limitations, basées sur les pouvoirs mêmes des instances publiques, alors qu'elle est soumise à des contraintes de réalisation moins élevées, bénéficiant ultimement d'une priorité tant sur l'utilisation privée sujette à l'expropriation que sur les dispositions de contrôle de l'utilisation du sol.

La légitimité de l'utilisation publique du sol repose sur la dimension collective des services rendus, ceux-ci étant assurés également à l'ensemble de la population tandis que leurs coûts sont répartis par divers modes d'imposition. Les utilisations publiques du sol, autrefois restreintes, sont devenues de plus en plus diversifiées et importantes spatialement à mesure que l'État a pris en charge un plus grand nombre d'activités dans des secteurs en expansion et qu'il s'est doté de mécanismes administratifs plus sophistiqués nécessitant du personnel et des édifices administratifs plus nombreux. Ainsi, selon Aubin,[7] le gouverne-

7. Henry Aubin, *Les vrais propriétaires de Montréal,* p. 443.

ment fédéral serait le plus grand propriétaire foncier de l'île de Montréal.

Avant d'aborder les pouvoirs d'utilisation publique du sol, il peut être utile de préciser que les lieux publics au sens d'accessibles au public ne relèvent pas nécessairement des gouvernements ou de leurs mandataires et ne constituent donc pas dans tous les cas des utilisations publiques du sol. Inversement, les propriétés publiques ne sont pas nécessairement accessibles au public en général.

Le partage des pouvoirs

Le partage des pouvoirs entre le gouvernement fédéral et les gouvernements provinciaux découle de l'Acte de l'Amérique du Nord Britannique (A.A.N.B.) et de l'interprétation qu'en font les tribunaux. Certains pouvoirs sont explicitement cités dans ce document et leur attribution y est prévue. D'autres pouvoirs sont considérés comme implicites puisqu'ils correspondent à un champ d'attribution sans avoir été explicitement cités entre autre parce que leur développement est postérieur à la signature du document. L'aviation par exemple correspond au champ de la circulation internationale et interprovinciale attribué au gouvernement fédéral mais son développement, ultérieur à l'A.A.N.B., la place au titre des compétences implicites.

Le gouvernement fédéral fonde ses interventions en matière d'utilisation publique du sol sur trois sources:
—ses compétences, exclusives ou partagées avec les provinces;
—son pouvoir déclaratoire c'est-à-dire son pouvoir de déclarer une utilisation du sol à l'avantage général du Canada ou de deux ou plusieurs provinces;
—ce qu'il est convenu maintenant d'appeler son pouvoir de dépenser.

Les compétences fédérales en matière d'utilisation du sol touchent principalement les aéroports, la navigation et les ports, les chemins de fer et les gares, les routes et les ponts assurant les communications interprovinciales ainsi que les édifices des différents ministères et mandataires, les prisons fédérales, les établissements postaux, ceux qui sont destinés aux Amérindiens, principalement les écoles et les hôpitaux et également ceux des anciens combattants. Ces compétences autorisent non seulement les utilisations publiques fédérales dans les domaines précités mais aussi, le cas échéant, le contrôle des utilisations privées. Ainsi, la localisation des aéroports privés est contrôlée par le ministère fédéral des Transports et l'emplacement des voies ferrées est approuvé par la Commission canadienne des transports. De plus, la propriété publique donne souvent lieu à extension des utilisations par rapport à une stricte interprétation des domaines de compétence: hôtels, restaurants et autres possédés et exploités par une société de la Couronne oeuvrant dans le domaine ferroviaire. Enfin, le gouvernement fédéral bénéficie d'une compétence largement exercée quoique non exclusive en ce qui concerne les édifices culturels et les parcs.

Selon R. Charles,[8] le pouvoir déclaratoire du Parlement canadien serait le plus fréquemment exercé pour les chemins de fer et ce même lorsque les travaux ne concernent qu'une seule province. Les tramways de Québec, Montréal et Ottawa auraient fait l'objet d'une déclaration! L'utilisation de ce pouvoir a conduit à la création de la Commission de la Capitale nationale (C.C.N.) pour l'aménagement de vastes portions des territoires de Hull et d'Ottawa.

Le recours extensif du gouvernement fédéral à ce qu'il est maintenant convenu d'appeler son pouvoir de dépenser a amené la création de programmes favorisant de nouvelles utilisations publiques du sol. Il a aussi permis au gouvernement fédéral d'assumer un rôle de catalyseur de l'utilisation privée par le financement d'infrastructures, par l'offre de subventions à l'industrie, et par des programmes d'aide à l'accession à la propriété. Ces derniers ont exercé un impact déterminant sur le développement, majoritairement résidentiel unifamilial, de plusieurs banlieues jusqu'à la fin des années '70 et par conséquent sur la stabilisation sinon sur la décroissance démographique de certaines villes centrales, dont Montréal.

---

8. Réjane Charles, *Le zonage au Québec, un mort en sursis*, p. 73.

Les gouvernements provinciaux bénéficient, pour leurs interventions ou celles de leurs mandataires en matière d'utilisation du sol, de compétences dont les plus exercées et les plus visibles concernent les routes et les ponts provinciaux, les édifices du réseau de l'éducation, les établissements du réseau des Affaires sociales (principalement les centres hospitaliers, les centres d'accueil et les centres locaux de services communautaires), les édifices administratifs et opérationnels des ministères et des organismes mandataires ainsi que les parcs.

Le gouvernement du Québec accorde aussi aux municipalités, qu'il a le pouvoir de créer, des pouvoirs en matière d'utilisation publique du sol pour leurs territoires respectifs. Ces pouvoirs sont délégués aux municipalités soit par charte spéciale, soit par la Loi des cités et villes (pour les municipalités urbaines), soit par le Code municipal (pour les municipalités rurales).[9] Ces pouvoirs concernent principalement les voies publiques, l'adduction d'eau et les égouts, les parcs et les terrains de jeux, les centres récréatifs et culturels, les postes de police et de protection contre les incendies, les édifices administratifs, l'aménagement et l'entretien des cours d'eau municipaux.

Les effets sur l'aménagement

Les utilisations publiques du sol sont fréquemment qualifiées d'utilisations structurantes dans la mesure où elles sont génératrices de développement par leurs effets d'entraînement. Cependant, le caractère structurant de certaines utilisations du sol ne pourrait être attribué exclusivement aux utilisations publiques puisque des utilisations privées induisent aussi soit de nouveaux projets, publics ou privés, soit des dessertes en équipements publics qui bénéficieront à d'autres utilisations.

À titre d'exemple de l'effet structurant des utilisations publiques, soulignons que la présence d'un aéroport international entraîne non seulement la construction de nouvelles routes et

9. Une refonte et une révision éventuelles des lois municipales pourraient se concrétiser par l'adoption d'un Code des municipalités.

voies d'accès mais généralement aussi l'implantation d'hôtels, la création de parcs industriels et autres. La construction du pont Champlain et de l'autoroute des Cantons de l'Est a incontestablement joué un rôle déterminant dans la croissance qu'ont connue les villes de la rive-sud de Montréal et particulièrement celle de Brossard. De façon générale, les ports et les aéroports couvrent des superficies importantes et leur effet structurant est d'autant plus incontestable que leur localisation est souvent stratégique, surtout pour les ports établis au coeur d'agglomérations urbaines d'envergure. Les compétences en matière portuaire et ferroviaire peuvent donner lieu à une restructuration des fonctions urbaines dans les secteurs initialement consacrés exclusivement à la navigation et aux activités portuaires. Les équipements de superstructure jouent aussi un rôle non seulement sur l'utilisation proprement dite du sol mais aussi possiblement sur le nombre de citoyens et même sur le type de résidents qu'ils contribuent à amener dans la ville: c'est le cas des équipements scolaires majeurs, des centres hospitaliers, des palais de justice et autres. Les effets des équipements majeurs ne sont cependant pas nécessairement que positifs: ils peuvent entraîner une déstabilisation prolongée de l'utilisation du sol dans le secteur touché et des effets négatifs en particulier sur la fonction résidentielle. Les expropriations massives qui ont précédé la construction de l'aéroport de Mirabel, de l'autoroute Ville-Marie, et du nouvel édifice de Radio-Canada à Montréal ont donné lieu à maintes critiques à cet égard. De plus, dans le cas de la Maison de Radio-Canada, comme dans celui de la plupart des édifices imposants construits récemment dans le style architectural international issu du Mouvement fonctionnaliste, la critique porte aussi sur l'intégration à l'espace socio-urbain. Elle peut être résumée dans ces termes:

> «Avec le résultat que l'architecture moderne ne fait trop souvent du sens que pour ses concepteurs, parce que ceux-ci sont les seuls à posséder les clés du code. Dans cette veine, on pourrait établir des parallèles avec ce qui s'est passé durant la même période en littérature, en peinture ou en musique. Sauf que personne n'est obligé de s'astreindre à écouter de la musique électronique ou à regarder des oeuvres de Mondrian. Mais une fois qu'un bâtiment comme

celui de la Maison de Radio-Canada est implanté dans le paysage, il devient un objet d'affliction auquel ne peuvent échapper des centaines de milliers de gens pendant un demi-siècle.»[10]

Si de telles expériences confirment l'échec de l'architecture moderne à définir et à qualifier l'espace urbain, elles contribuent sur un autre plan à infirmer la théorie du filtrage (filtering down). Cette théorie s'appuie sur les principes de mobilité des ménages et de fonctionnement de la loi de l'offre et de la demande dans le secteur du logement. Cette notion de filtrage permettait de croire que le déficit en logements temporairement créé par des démolitions serait rapidement comblé par la construction de nouvelles habitations. Celles-ci seraient probablement plus luxueuses et par conséquent plus dispendieuses, attirant les résidents favorisés de certains secteurs plus anciens. Ces secteurs connaîtraient donc un taux de vacance plus élevé, ce qui y entraînerait une diminution du prix des loyers favorisant l'accession à d'autres résidents moins favorisés en provenance d'autres secteurs et ainsi de suite jusqu'à ce que les résidents initialement chassés par la venue du projet en cause soient relocalisés dans des habitations souvent de meilleure qualité que celles qui les abritaient au départ. Or, le filtrage (filtering down) s'est révélé peu efficace. Outre la difficulté que pose la période de transition, le marché du logement ne répond pas parfaitement à la loi de l'offre et de la demande et les loyers ne diminuent pas nécessairement même si le taux de vacance est élevé pour un type donné d'habitation ou dans un secteur donné. Ces mêmes constatations ont pu d'ailleurs être faites dans les cas de rénovations de logements, entreprises par les propriétaires avec l'aide de programmes gouvernementaux. Si les rénovations ont des effets positifs sur la qualité du stock de logements, il n'en demeure pas moins que l'on doit prendre en considération des facteurs tels la relocalisation des locataires affectés pendant la conduite des travaux et les conséquences de ces travaux sur le niveau des loyers. Les logements rénovés peuvent en effet devenir inaccessibles aux locataires qui les habitaient antérieurement.

---

10. Jean-Claude Marsan, «Pour une esthétique de tous les sens», *Habitat*, vol. 25, n° 2, p. 6.

► L'organisation fonctionnelle

Tout milieu construit, rural ou urbain, est constitué par une agrégation de décisions ponctuelles d'utilisation du sol publiques et privées. En général, la ville peut être caractérisée par la diversité des fonctions que l'on y trouve: habitation bien sûr, mais aussi multiplicité des commerces, des industries, des services administratifs, culturels, et autres. De sorte que le milieu urbain peut être considéré comme un lieu privilégié de réponse à nombre de besoins humains.

> «En effet, il ne saurait faire aucun doute que la raison d'être des villes, la seule et unique, est de satisfaire les besoins de l'homme. Les routes, les centres d'achat, les édifices à bureaux, les entreprises n'ont en effet aucune raison d'exister si ce n'est pour répondre aux besoins de l'homme. Les villes n'existent donc pas tout d'abord pour les activités à caractère commercial, financier ou industriel qu'elles rendent possibles mais bien pour permettre à l'homme de mieux vivre et de se développer. Cette première clarification nous permet de formuler un premier principe qui, même s'il peut paraître simple, revêt à nos yeux une importance fondamentale: la qualité d'une ville se mesure avant tout selon la façon dont elle répond aux multiples besoins de ses habitants.»[11]

L'ordre de priorité indiqué ci-dessus est cependant contesté par des analyses présentant l'adéquation de la réponse aux besoins humains comme subordonnée à des impératifs d'ordre économique et social. Car la ville est aussi un lieu d'étalage et de nouveaux besoins peuvent y être générés, permettant le soutien de la croissance économique. De plus, la dispersion géographique et l'anonymat que l'on y trouve sont susceptibles de provoquer ou d'accentuer des phénomènes de dépendance envers diverses institutions et de favoriser ainsi certaines formes de contrôle social. Il n'en demeure pas moins que le mode de vie urbain est caractéristique de la société québécoise tant par le pourcentage très élevé de la population vivant dans les villes que par l'intégration de structures uniformisées dans tous les secteurs de la vie nationale.

---

11. Rapport du groupe de travail sur l'urbanisation, *L'urbanisation au Québec*, p. 99.

Au plan spatial, la généralisation du mode de vie urbain n'implique pas nécessairement, à chaque phase du processus, un degré constant de polyvalence, ou au contraire d'exclusivité fonctionnelle, de chaque propriété ou de chaque portion de territoire. C'est que la dimension spatiale reflète simultanément divers phénomènes sociétaux plus larges que l'urbanisation: industrialisation, tertiarisation, post-industrialisation et développement des temps libres, informatisation et développement technologique. Ainsi, le «rang» rural traditionnel pouvait cumuler, encore en 1960, plusieurs fonctions: résidentielle, de production et de transformation agro-alimentaire, d'éducation (école du rang). Cette polyvalence a pu être réduite ensuite par le transfert et la concentration de certaines activités dans des lieux spécialisés tels l'école urbaine de plus grande dimension, l'usine de transformation agro-alimentaire de la coopérative. Bref, le rang a pu s'orienter vers la quasi-exclusivité fonctionnelle résidentielle surtout si certains producteurs agricoles ont été remplacés par des résidents travaillant à la ville ou utilisant leur propriété comme résidence secondaire. Mais il peut aussi redevenir très polyvalent si les résidents, dont le siège de l'emploi est à la ville, travaillent en tout ou en partie à domicile grâce au développement des systèmes d'information, si le développement des temps libres y favorise l'implantation d'un ranch d'équitation, etc. De la même façon, des municipalités urbaines entières peuvent être qualifiées de banlieues-dortoirs tant la fonction résidentielle y est prédominante alors que la ville est généralement caractérisée par la multiplicité des fonctions que l'on y trouve.

En urbanisme, les activités humaines peuvent être regroupées autour de quatre (4) fonctions de base: habiter, travailler, se récréer, circuler. Tandis que la fonction habiter constitue la fonction centrale par rapport à laquelle s'organisent les autres, la fonction travailler donne lieu aux activités commerciales, industrielles et aux activités de production de services publics qui acquièrent une importance proportionnelle au degré du développement étatique. Bien sûr, en milieu périphérique et en milieu rural, la fonction travailler comporte aussi et parfois principalement l'activité agricole. Quant à la fonction récréative, elle peut être considérée comme en partie assumée par la fonction commerciale (hôtels, restaurants, cinémas, théâtres, galeries, etc.), en partie assumée aussi par le secteur public (parcs, terrains de jeux, équipements sportifs publics, musées, certaines salles de concert, etc.). Elle peut aussi être considérée comme une fonction distincte pour des activités spécifiques auxquelles des espaces sont consacrés et qui sont prises en charge par des organismes à but lucratif: ciné-parcs, ranch d'équitation, terrains de golf privés, centres sportifs privés, etc. Enfin, la fonction circuler, de plus en plus importante dans nos sociétés en ce qui concerne les personnes, les biens et l'information, s'intègre aux espaces consacrés aux autres fonctions.

Nous pourrions donc retenir six (6) fonctions quant à la spécificité des espaces qui leur sont consacrés: résidentielle, commerciale, industrielle, publique, récréative commerciale et agricole. De plus, on note maintenant une tendance à considérer les fonctions «villégiature» et «extraction» à partir de ressources naturelles comme spécifiques. En milieu urbain, trois fonctions prédominantes captent une grande part des interventions.

L'habitation

L'organisation globale de l'habitation dépend de différents intervenants et des choix des utilisateurs. Elle pose également des problèmes d'orientation collective.

Au cours des dernières décennies, la maison unifamiliale de banlieue a semblé représenter le choix le plus populaire des couples mariés âgés de 30 à 40 ans, ayant un ou deux enfants et dont le revenu était supérieur à la moyenne québécoise.[12] Ce choix semble indiquer la priorité donnée à un environnement relativement paisible et sécuritaire par rapport aux conditions offertes dans la ville centrale. Il implique cependant, pour les utilisateurs, des coûts plus élevés que la maison bifamiliale ou trifamiliale, un temps et des coûts de transport importants de même

12. Pierre Bélanger, «Les unifamiliales de banlieue: qui achète quoi?», *Le Devoir*, 16 septembre 1980, p. 15.

que des services souvent moindres (par exemple en ce qui concerne le transport en commun, l'approvisionnement en eau potable, etc.). La faveur accordée à la banlieue peut aussi présenter des inconvénients pour la collectivité. Des équipements de la ville centrale, par exemple les écoles, peuvent devenir sous-utilisés alors que ceux de la banlieue sont insuffisants.

La conjoncture énergétique et économique actuelle de même que certains programmes, tel le programme 20 000 logements de la Ville de Montréal, sont susceptibles d'infléchir la tendance à privilégier la banlieue comme cadre de vie, d'autant plus que la disponibilité de terrains en périphérie est limitée par de nouveaux contrôles. Même en banlieue, le mode d'habitation se modifie. On remarque de plus en plus la construction de maisons unifamiliales à deux étages, permettant de minimiser la superficie de terrain occupée comme d'ailleurs la maison semi-détachée ou en rangée qui offrent en plus la possibilité d'économiser l'énergie exigée pour le chauffage.

L'habitat ne se limite pas seulement au logement. Il inclut l'environnement et les activités qui peuvent s'y tenir. C'est pourquoi le quartier en milieu ancien ou l'unité de voisinage en banlieue constitue des territoires où l'on doit trouver les services et les activités qu'impliquent le fait d'y résider. On devrait donc pouvoir se rendre à pied, à l'intérieur d'un maximum de 15 minutes de marche, à la maternelle et à l'école primaire (et idéalement à la garderie), au dépanneur sinon au supermarché, aux services tels les banques, nettoyeurs à sec, salons de coiffure et autres, et évidemment à l'arrêt d'autobus et à un parc ou à un terrain de jeux. On devrait pouvoir y trouver des pistes cyclables et dans certains cas des sentiers piétonniers. Si ces différents services se retrouvent le plus souvent dans les quartiers anciens, il n'en va pas toujours ainsi dans les unités de voisinage de banlieue, soit parce que la rapidité de la croissance n'a pas permis aux services d'atteindre le niveau adéquat, soit parce qu'il y a ségrégation excessive des usages dans le secteur. On peut en effet trouver de vastes secteurs utilisés à des fins strictement résidentielles et mêmes aux fins d'un seul type de résidences, comme par exemple l'unifamilial détaché. L'exclusivité de ce type de développement oblige les résidents à des déplacements coûteux en temps et en argent pour l'obtention de services. De plus, il est évident qu'un secteur utilisé aux fins d'un seul type résidentiel favorise la relative homogénéité socio-économique, ce qui peut représenter un avantage ou un désavantage, selon l'optique adoptée. Cependant, l'obligation de sortir du secteur pour recevoir des services renforce le mode de vie individualiste et le sentiment de solitude que l'on retrouve facilement en milieux urbains.

Le commerce

Certains commerces de biens et les services personnels (banques, dépanneurs, salons de coiffure, cliniques médicales, fleuristes, pharmacies, etc.) génèrent peu de nuisances lorsqu'ils s'adressent à la clientèle du secteur et n'impliquent par conséquent que peu de circulation automobile. Il peut donc y avoir avantage à les insérer dans les secteurs résidentiels d'autant plus qu'ils permettent probablement d'intégrer un certain nombre d'emplois à la fonction résidentielle.

Par contre, le commerce conçu pour l'utilisation de l'automobile comme mode d'accès (centres commerciaux régionaux, restaurants avec stationnement important et service à l'auto) génèrent une circulation automobile qui devient une nuisance dans un secteur résidentiel et une menace pour la sécurité des enfants. Ces établissements se localisent généralement à proximité de voies de circulation importantes et on doit prévoir des secteurs-tampons les isolant du secteur résidentiel.

Enfin, les commerces impliquant une circulation intense de camions, de l'entreposage extérieur, un éclairage intense présentent des nuisances qui nécessitent que des secteurs leur soient spécifiquement consacrés et que des normes d'environnement extérieur leur soient imposées. Ces commerces ayant tendance à s'établir le long de voies de circulations importantes en milieu urbain (par exemple, le long d'un boulevard), on se retrouve souvent avec une sorte de «no man's land» au milieu d'une ville, endroit que sa localisation dans la ville destinerait davantage à une appropriation récréative et culturelle.

L'industrie

En milieu ancien, les industries sont fréquemment intégrées au tissu urbain, ce qui minimise le transport pour les travailleurs mais maximise les nuisances pour les résidents et les autres utilisateurs du secteur. Car plusieurs types de nuisances, à des degrés divers, peuvent être générés par la fonction industrielle: entreposage extérieur, bruit, fumée, poussière, odeur, lumière, chaleur, vibration. Il existe actuellement toute une instrumentation de mesure et de classification de ces nuisances d'une part en ce qui concerne la santé et la sécurité des travailleurs et d'autre part en ce qui concerne le voisinage. Par rapport au voisinage, on classe généralement les industries en trois grandes catégories: celles qui ne comportent pas de nuisances à l'extérieur de leurs murs, celles dont les nuisances sont limitées aux extrémités de leur terrain, et celles dont les nuisances atteignent le secteur et peuvent même se propager au-delà de ces limites (par exemple: les raffineries, les industries pétro-chimiques ou autres). Il est question des industries dont les nuisances peuvent s'étendre à l'ensemble du secteur industriel parce que la tendance est de plus en plus au regroupement spatial de ces activités dans un parc industriel.

En 1972, le gouvernement du Québec a établi un programme de subventions qui a favorisé la création de nombreux commissariats industriels dans tout le Québec alors que l'on en comptait relativement peu auparavant. Ces commissariats peuvent prendre des formes variées et être constitués en corporation, en service municipal ou en service intermunicipal ou régional. Leur mission consiste principalement à promouvoir le développement industriel et l'expansion des emplois industriels pour le territoire dont ils s'occupent. Pour ce faire, ils disposent du pouvoir d'acquérir de gré à gré ou par expropriation des terrains qu'ils mettent à la disposition des industries après avoir veillé à la disponibilité des équipements nécessaires. Ces commissariats industriels visent évidemment l'implantation d'entreprises d'envergure multinationale mais travaillent aussi, et de plus en plus, avec les P.M.E. locales.[13] Toutefois, certaines de ces P.M.E. peuvent aussi s'installer

13. Dossier paru dans *Développement-Québec* (O.P.D.Q.), vol. 7 n° 2, mai 1980.

sans inconvénient dans des milieux anciens, particulièrement celles dont la production est de caractère presque artisanal. D'autres P.M.E., assez nombreuses, agissent presque uniquement comme centres de distribution et ne requièrent pas véritablement les services mis à leur disposition dans un parc industriel sauf en ce qui concerne les moyens de transport et en ce qu'elles génèrent une nuisance en terme de circulation. Comme telles, elles ne constituent pas la clientèle-cible des parcs industriels.

La dynamique spatiale

Le développement de chaque ville est tributaire de décisions ponctuelles d'utilisation du sol et agrège tant les utilisations privées que publiques, impliquant donc l'ensemble des affectations représentées à des degrés divers, variables selon les époques et selon les milieux. Du point de vue globalisant de l'aménagement, chaque décision ou chaque agrégation de décisions d'utilisation du sol comporte des effets et participe à une évolution, à une dynamique urbaine. Celle-ci, dans l'après-guerre, a été caractérisée par deux phénomènes d'envergure particulière: d'une part l'émergence des banlieues et, d'autre part, la transformation des milieux anciens. Ces deux phénomènes sont interreliés et ont correspondu, dans une large mesure, à des politiques et à des programmes gouvernementaux.

L'émergence des banlieues

L'amélioration progressive du réseau routier et la construction de nouvelles voies rapides de circulation ont eu pour effet non seulement de faciliter la liaison des principaux centres urbains mais aussi d'améliorer l'accessibilité de vastes territoires peu urbanisés situés à proximité des nouvelles voies routières. Simultanément les programmes d'accession à la propriété favorisaient la popularisation de la résidence unifamiliale. Ce type d'occupation du sol à faible densité établi linéairement par rapport aux principaux axes de circulation routière s'est généralisé de façon à provoquer un étalement urbain important.

L'expansion de l'agglomération de Montréal par la juxtaposition de zones de résidences presque exclusivement unifamiliales au complexe urbain initial et aux centres urbains plus anciens de la périphérie, a d'abord eu pour effet de faire baisser les densités urbaines de la région métropolitaine et de ses principales composantes géographiques, à l'exception de la zone centrale.»[14]

Le développement de type «banlieue» consacré principalement à la fonction résidentielle unifamiliale s'est répandu non seulement en périphérie des grands centres urbains mais aussi à l'intérieur des secteurs vacants des villes centrales et même en périphérie des villes moyennes.

La transformation des quartiers anciens

Le déplacement de nombreux jeunes ménages familiaux vers la banlieue est l'une des modifications, de nature sociale, subies par les quartiers anciens. La perte démographique engendrée par le départ de cette population a été compensée en partie par la formation de nouveaux ménages dont une part importante de ménages non-familiaux.

Du point de vue physique, les quartiers anciens de la plupart des villes se sont substantiellement modifiés. Dans les villes de taille importante, la construction de voies rapides de circulation urbaine ou l'élargissement des boulevards existants ont souvent impliqué des démolitions massives tout en entraînant une hausse des prix des terrains adjacents. Ceux-ci ont alors dû être rentabilisés par la construction, souvent en hauteur, d'édifices d'appartements, de commerces ou de bureaux.

L'un des problèmes souvent relevés à propos des centres-villes est celui de la dévitalisation. D'une part, le tissu urbain peut être morcelé par les voies rapides de communication qui rendent difficile la circulation piétonnière et par conséquent la fréquentation de l'ensemble du centre-ville en dehors des heures de travail. D'autre part, les nouvelles affectations du sol amènent

14. Francine Dansereau et Marcel Gaudreau, *Commerce du sol et promoteurs à Montréal*, p. 5.

dans beaucoup de cas la disparition complète, au centre-ville, de petits commerces spécifiques (cordonneries, épiceries, dépanneurs et autres) et de services publics (écoles par exemple) qui en faisaient un quartier habitable pour un large éventail de population. Enfin, les commerces et les lieux de récréation du centre-ville sont souvent surtout fréquentés par la population qui travaille dans ce secteur mais subissent durement la concurrence des centres commerciaux de banlieue au cours des fins de semaine, ce qui peut entraîner une détérioration des artères commerciales traditionnelles non seulement au centre-ville mais dans l'ensemble des quartiers anciens.

La transformation des quartiers anciens et des centre-villes s'est soldée dans plusieurs cas par un déficit de logements, le nombre de logements démolis étant supérieur au nombre de nouveaux logements construits. Ce déficit, accompagné de la substitution fréquente de ménages non-familiaux aux ménages familiaux, a entraîné une baisse de la population résidente.

Bien que les diverses instances gouvernementales aient élaboré des programmes de rénovation urbaine et d'amélioration des quartiers, leur application a suscité des problèmes, surtout au début alors que rénovation semblait signifier démolition et reconstruction et entraînait généralement l'évacuation temporaire ou définitive des locataires en place. La mise en place d'un contrôle des prix des loyers après rénovation et de mécanismes pour permettre soit l'utilisation des logements pendant les travaux soit le relogement ont facilité l'accessibilité des logements rénovés à la population résidente.

Au début des transformations des centre-villes et des quartiers anciens, il était difficile de prévoir l'ampleur globale des démolitions qui seraient effectuées au cours des ans et l'impact de ces démolitions et de la hausse des prix des logements rénovés sur l'accessibilité à un stock de logements à loyer modique ou moyen. La théorie du filtrage (filtering down) invitait à l'optimisme.

Si la théorie du filtrage peut se vérifier partiellement, son fonctionnement est le plus souvent imparfait selon l'acceptation de la mobilité, selon la structuration du marché du logement, selon le rythme des démolitions par rapport aux nouvelles constructions et selon l'adéquation des nouveaux types de logements aux préférences des utilisateurs.

L'imperfection du fonctionnement de la théorie du filtrage a provoqué une prise de conscience de l'incapacité du marché privé à assurer l'accessibilité du logement aux groupes socio-économiquement moins favorisés. Les gouvernements ont donc développé les programmes de construction d'habitations à loyer modique (H.L.M.). De plus, plusieurs autres mesures visent maintenant à régulariser le secteur de l'habitation et à assurer la disponibilité de logements correspondant aux exigences particulières selon l'âge, la taille du ménage, et autres.

Depuis quelques années s'amplifie le phénomène que Laconte[15] appelle «percolation». Les percolations consistent en la réappropriation d'édifices conçus ou utilisés originellement pour un usage qui ne peut plus être poursuivi. C'est ainsi que dans les centre-villes ou les quartiers anciens, des entrepôts désaffectés peuvent être restaurés et transformés en immeubles d'appartements offerts en copropriété, que des églises ou des écoles sont récupérées pour l'habitation, des ateliers d'artisans, ou des salles de spectacles. La formule est intéressante en ce qu'elle permet la revitalisation du milieu existant, la rentabilisation des services en place et la récupération du bâti et de ses qualités structurales et architecturales. Par contre, sa généralisation à un rythme rapide peut entraîner la disparition d'usages encore existants mais moins rentables que les nouvelles activités.

15. Pierre Laconte, *Mutations urbaines et marchés immobiliers.*

2

Contrôle local de l'utilisation du sol

En faisant référence à des phénomènes dynamiques d'utilisation du sol, d'organisation spatiale et de fonctions urbaines, nous faisons aussi référence au mode de réalisation de l'urbanisation et en particulier à l'éclatement urbain, à l'émergence de villes-champignons, et à la modification des centres-villes traditionnels. L'urbanisation étant elle-même reliée à d'autres phénomènes sociétaux, la ville et la région peuvent aussi représenter des lieux de traduction et d'inscription, au plan physico-spatial, de problèmes démographiques, sociaux, économiques. Deux rapports importants[1] ont été expressément consacrés au sujet au cours des années 1970. Du rapport Lithwick, nous pouvons retenir une distinction qui, pour réductrice qu'elle puisse être, nous permet d'illustrer l'existence de deux ordres différents de problèmes: les problèmes **dans** la ville et les problèmes **de** la ville. Dans la première catégorie apparaissent des problèmes économiques (pauvreté, coût du logement, fiscalité) et des problèmes fonc-

1. *Le Canada urbain,* ses problèmes et ses perspectives. Rapport rédigé par N.H. Lithwick pour l'Honorable R.K. Andras, ministre responsable du logement, Gouvernement du Canada, Ottawa, 1970. *L'urbanisation au Québec.* Rapport du groupe de travail sur l'urbanisation présidé par Claude Castonguay. Québec, 1976.

tionnels faisant l'objet de politiques fédérales et provinciales: habitation, transport, environnement. Quant aux problèmes de la ville, ils concernent essentiellement l'aménagement du système urbain tout en étant interreliés à la première catégorie. Il est complexe d'établir de qui relèvent ces problèmes, car la pratique des politiques urbaines des gouvernements fédéral et provincial se superpose fréquemment, quitte à diverger au plan des moyens sinon au plan des orientations. Le partage des pratiques entre les gouvernements supérieurs d'une part et les gouvernements locaux d'autre part est beaucoup plus facile à établir. Les gouvernements locaux interviennent en effet à peu près uniquement dans le champ des problèmes de la ville et encore sont-ils très spécialisés quant à leurs pratiques et très limités quant au mode de formalisation de ces interventions.

Car la solution ou l'amorce de solution des deux ordres de problèmes dont il a été question implique le recours à diverses mesures de nature régulatrice, de nature incitative, et de nature coercitive. Or, les mesures de régulation et d'incitation exigent la manipulation de leviers, en particulier économiques, et la disponibilité de ressources dont seuls bénéficient les gouvernements supérieurs. Les gouvernements locaux, même très volontaristes, sont à peu près cantonnés aux mesures coercitives et donc au contrôle de l'utilisation du sol. Même pour ce champ du contrôle, ils ne possèdent pas l'exclusivité et ils doivent composer avec les gouvernements supérieurs.

Le partage formel des compétences en matière de contrôle[2]

Il est largement reconnu que le gouvernement fédéral ne dispose pas d'un pouvoir général en matière de contrôle, celui-ci étant dévolu aux gouvernements provinciaux en vertu de plusieurs paragraphes de l'article 92 de l'A.A.N.B.[3] Il ne faut cependant pas en conclure que le gouvernement fédéral est totalement démuni en

2. Consulter Gérald A. Beaudoin, *Le Partage des pouvoirs.*
3. Acte de l'Amérique du Nord Britannique.

la matière puisque le contrôle est inhérent à l'exercice de ses compétences en matière d'utilisation du sol. Or, nous l'avons vu précédemment, ses compétences sont vastes et largement exercées et elles s'accompagnent, si nécessaire, du pouvoir d'expropriation de terrains vacants ou construits quels qu'en soient les propriétaires: individus, personnes morales, municipalités, gouvernements provinciaux. De plus, le gouvernement central peut imposer les normes d'utilisation du sol compatibles avec la conduite des opérations placées sous sa juridiction.

Les gouvernements provinciaux sont donc dotés d'un pouvoir général de contrôle que seul le gouvernement fédéral n'est pas tenu au sens strict de respecter dans tous les cas. De plus, ils détiennent aussi un pouvoir de contrôle relié à leurs propres utilisations du sol, y inclus le pouvoir d'exproprier à ces fins des biens fonciers et immobiliers détenus par des individus, des personnes morales, ou des municipalités. Le gouvernement du Québec a utilisé largement ces compétences, surtout depuis les années '60 qui ont marqué le développement des activités étatiques. Il exerce aussi, ou a exercé, formellement et spécifiquement son pouvoir de contrôle[4]

—à des fins de protection générale:
- du patrimoine
- de la qualité de l'environnement

—quant à des milieux particuliers:
- milieu faunique
- milieu hydrique
- milieu agricole
- milieu forestier
- milieu minier

—quant à des portions territoriales précises:
- certains secteurs industriels
- le territoire de la Baie James
- la région de l'aéroport international de Mirabel

4. Consulter Louis Cormier, *Le contrôle de l'utilisation du sol:* législation et réglementation québécoises.

— ainsi qu'en ce qui concerne le réseau routier et, évidemment, le domaine public.

Quant aux municipalités, elles disposent de pouvoirs précis de contrôle qui leur sont délégués par la législature provinciale pour leurs territoires respectifs. Ces pouvoirs leur sont délégués soit par charte spéciale, soit par la Loi des cités et villes (pour les municipalités urbaines), soit par le Code municipal (pour les municipalités rurales), et plus récemment, par la Loi sur l'aménagement et l'urbanisme (pour toutes les municipalités). Elles disposent de plus du pouvoir d'expropriation à des fins publiques d'utilisation du sol. Dans chaque portion de territoire découpé par les limites municipales, peut donc intervenir une source de contrôle principale, mais non unique, en l'occurence, la municipalité. Mais il est important de noter que les pouvoirs municipaux en matière de contrôle sont soumis à une double limitation: celle de la précision des pouvoirs délégués et celle des compétences des autres paliers gouvernementaux. En ce sens, les pouvoirs municipaux peuvent être qualifiés de résiduels et ne sont pratiquement opposés qu'à certaines utilisations publiques et privées du sol.

La légitimité des intérêts

Une fois les principes de partage établis, il faut constater que les compétences des paliers supérieurs de gouvernement ne sont pas nécessairement exercées en fonction d'orientations claires. Divers ministères et organismes d'un même palier peuvent soutenir des objectifs différents, sans coordination et sans véritable arbitrage, en ce qui concerne l'implantation spatiale. Or, s'il est possible que le partage des compétences entre les paliers et le partage des orientations entre divers ministères ou organisations de chaque palier importe relativement peu à l'ensemble des citoyens en autant que les droits fondamentaux soient reconnus et les besoins essentiels pris en charge, il en va autrement pour la collectivité locale affectée. Pour celle-ci, le caractère ponctuel des interventions des paliers supérieurs de gouvernement en matière d'utilisation du sol correspond au caractère ponctuel des interventions privées et, à ce titre, il n'est ni pire ni meilleur. Cependant, la collectivité locale ne dispose souvent d'aucun moyen formel d'empêcher la réalisation de projets fédéraux ou provinciaux à l'intérieur de son territoire et elle doit alors recourir aux pressions tandis qu'elle peut obtenir la conformité des projets privés aux exigences de ses instruments de contrôle. Ceci tout simplement parce que les paliers supérieurs de gouvernement sont censés prendre en charge des intérêts généraux dépassant ceux des collectivités locales. Et effectivement ils interviennent en matière de services de base: éducation, affaires sociales, justice, défense, pour n'en citer que les principaux. Plusieurs de ces champs font d'ailleurs l'objet de programmes gouvernementaux à caractère redistributif des revenus: assurance-hospitalisation, assurance-maladie, etc. pour lesquels les cotisations sont perçues selon les revenus des contribuables alors que les services sont accessibles à l'ensemble des citoyens qui répondent aux conditions d'admissibilité. Au contraire des gouvernements supérieurs, l'instance locale est plutôt perçue par rapport à son rôle administratif et à la fourniture de services constants rattachés pour une large part à la propriété mais évidemment aussi à la personne. Et effectivement, les services fournis par la plupart des municipalités sont principalement les suivants: sécurité publique (police et protection contre les incendies), transport routier (y inclus la voirie et l'enlèvement de la neige), hygiène du milieu (distribution de l'eau, égouts, enlèvement des ordures), urbanisme et mise en valeur du territoire, et loisirs et culture. Le coût annuel de ces services doit correspondre à des revenus municipaux équivalents et il ne peut donc pas être financé par des emprunts à long terme. De par la nature et la destination des services rendus ainsi que de par le mode de son financement courant, l'instance municipale se positionne par rapport à la propriété, à la richesse foncière dans ses limites territoriales et par rapport aux intérêts de ses contribuables. Ainsi, dès le début de son exercice, le contrôle municipal a visé d'abord la protection, particulièrement contre les incendies, par la prescription de matériaux, de distances à respecter, et autres. Incidemment, le contrôle municipal protégeait simultanément la valeur foncière existante grâce à la relative uniformisation de l'apparence extérieure des nouvelles constructions. De sorte qu'avec le temps et les événements, l'intérêt collectif que l'instance municipale représente, comme d'ailleurs les autres paliers gouvernementaux, risque de se singulariser et d'être confondu avec une agrégation d'intérêts privés reliés à la protection de la valeur des propriétés d'une part, et d'autre part, par extension, à la tranquillité psychologique des citoyens et à la relative homogénéité des groupes socio-économiques représentés dans la population de chaque municipalité. Notons, à titre illustratif, que les journaux rapportent fréquemment des cas d'opposition locale à l'implantation de centres de transition pour détenus, de pavillons pour ex-patients psychiatriques et même de maisons d'accueil pour victimes de violence physique.

De tout ceci, il pourrait être retenu que l'intérêt collectif représenté par le palier local est autre que celui qui est représenté aux paliers supérieurs sans pour autant être plus ou moins légitime. Cependant, il arrive que l'exercice de cet «autre» intérêt collectif soit encore mal défini et que dans certains cas il représente une source de conflits légitimant la prépondérance des interventions des gouvernements supérieurs au niveau local et accréditant l'hypothèse de la représentation d'intérêts supérieurs par les gouvernements fédéral et provincial.

L'influence de la planification américaine

La pratique d'un urbanisme municipal est somme toute récente au Québec. Les villes de Montréal et de Québec ont adopté leurs premiers plans directeurs en 1944 et 1952 respectivement. Il y a certes eu des propositions majeures d'aménagement antérieures à cette époque. Certains politiciens avaient discuté de la construction d'un métro à Montréal dans le premier quart du XXe siècle. De plus, certains organismes comme la Chambre de commerce avaient proposé un plan directeur.

En cela, l'exemple américain était suivi. En effet, antérieurement ou simultanément au courant de professionalisation de la planification urbaine aux États-Unis, plusieurs écoles étaient apparues, chacune produisant des plans selon ses préoccupations et ses intérêts.[5] C'est ainsi que le plan de Chicago a été publié en 1909 par un groupe d'universitaires et d'hommes d'affaires dont les préoccupations pour l'esthétisme et l'architecture avaient été accentuées par la tenue de l'Exposition universelle de 1893 à Chicago. Ce sont ces intervenants qui ont aussi assumé la promotion du plan auprès de la population, des propriétaires, des constructeurs et autres. Au cours de cette période, diverses écoles ont produit des plans pour différentes villes soit en reprenant les objectifs du plan de Chicago et du mouvement «City Beautiful» soit en en présentant de nouveaux. Par exemple, le mouvement «cité efficace», contemporain de «City Beautiful», visait à réformer l'administration locale en plus de proposer des modes d'organisation spatiale. En adoptant une orientation plus sociale qu'architecturale et esthétique, il faisait appel à une méthodologie globale de recherche et exprimait ses propositions en termes tant politiques que financiers. Quant à l'Association de planification régionale, elle fut responsable de la considération de la région comme unité de planification en préconisant un équilibre ville/campagne environnante et en proposant des mesures écologiques. Elle préconisa aussi l'introduction du concept de cité-jardin.

Ces premières écoles ou premiers mouvements ont largement influencé et continuent d'influencer le contenu et les orientations de la planification urbaine en Amérique du Nord puisque les préoccupations prises en compte sont maintenant couramment intégrées dans une même démarche planificatrice. Cependant, en ce qui concerne le mode de réalisation, c'est le courant de professionnalisation (1917-1930) qui a inspiré la pratique actuelle dans laquelle la municipalité prend elle-même en charge la production et l'adoption de son plan directeur. La production est assumée soit par des fonctionnaires municipaux soit par des bureaux privés spécialisés auxquels un mandat est attribué. Le conseil municipal est ensuite l'instance responsable de l'adoption du plan. Le courant de professionnalisation a aussi étendu la pratique planificatrice au zonage (division du territoire municipal en

5. Consulter Charles Roig, «Planificateurs et planification aux États-Unis», *L'actualité économique*, 43e année, n° 2, p. 280-337.

zones et prescription de normes pour chaque zone) ainsi qu'au contrôle du lotissement (subdivision des terrains). Par la mise en forme des instruments d'urbanisme énumérés ci-dessus et par leur élaboration par des professionnels plutôt que par des bénévoles, apparaissait une tendance nettement technicienne qui a marqué la pratique de l'urbanisme. Cette tendance postule la neutralité des instruments, lesquels ont pour objet d'apporter des solutions à des problèmes techniques de localisation spatiale, de sécurité, de salubrité. Elle entraîne donc une dichotomie entre le professionnel (chargé de l'élaboration de solutions techniques) et le politique (responsable de l'adoption et de l'application). Par ailleurs, au cours du processus d'élaboration des instruments, elle évacue la participation de la population en général et d'intéressés en particulier. Quelques-uns de ceux-ci peuvent toutefois contribuer aux travaux de la Commission de planification dont le rôle consiste à émettre des avis au Conseil municipal.

La forme juridique et instrumentale

Au Québec, le pouvoir d'adopter leur plan directeur était conféré aux municipalités par les articles 429(8) et 392(f) de la Loi des cités et villes et du Code municipal alors que les articles 426(1) et 392(a) des mêmes documents octroyaient aux municipalités le pouvoir de zoner leur territoire. Il faut noter qu'il n'est question ici que de pouvoir délégué aux instances locales et qu'il ne s'agit donc pas, dans ce cadre législatif, d'une obligation: l'exercice du contrôle de l'utilisation du sol est facultatif sauf exceptions. Il est cependant largement pratiqué par les municipalités de plus de 5 000 habitants, surtout après 1965. Cette pratique du contrôle se distingue toutefois d'une pratique planificatrice globale en ce qu'elle privilégie le zonage par rapport au plan directeur et donc la forme détaillée par rapport à la forme générale. Le zonage offre en effet l'avantage d'être opposable aux tiers alors que le plan ne lie pratiquement que la municipalité elle-même. De plus, aucune disposition législative prévoit la subordination du zonage au plan directeur comme l'exigerait la cohérence d'une démarche planificatrice d'ensemble. Au contraire, il semble que des modifications éventuellement apportées au plan ne doivent pas contrevenir aux stipulations du zonage en vigueur et que pour amender le plan, il faille amender d'abord le règlement de zonage. De sorte que les plans d'urbanisme constituent le plus souvent des documents indicatifs très généraux. «Quebec master plans are simply to specify the purposes for which territory in the plan may be used so that they are little more than land use plans».[6]

Pour être valable, le zonage doit être adopté par le conseil municipal à titre de règlement. Du point de vue de la forme, on trouve généralement un plan de zonage accompagnant le texte du règlement. Le plan est une représentation cartographique du territoire municipal sur laquelle apparaît le découpage en zones pour fins urbanistiques. Il n'existe aucune prescription quant au nombre de zones qu'une municipalité peut établir ni quant à la superficie de ces zones. C'est dire que l'on pourrait trouver pour deux municipalités de superficies comparables un nombre «x» de zones dans l'une et un nombre «y» de zones dans l'autre et que par conséquent la superficie moyenne des zones serait plus faible dans la municipalité comptant le plus grand nombre de zones. Il doit évidemment y avoir conformité entre le plan de zonage et la description textuelle[7] de la délimitation des zones. L'absence de conformité peut entraîner l'invalidation des stipulations concernant la portion litigieuse du territoire à moins que ne soit stipulé lequel, du texte ou du plan, prévaut en cas de divergence.

Le texte du règlement comprend, outre la description des zones, une partie consacrée à la vocation de chaque zone, une partie consacrée aux normes d'implantation, et une partie consacrée à diverses dispositions telles les usages dérogatoires, les amendes et autres.

La vocation de chaque zone se traduit par l'autorisation d'une ou de plusieurs affectations (exemple: résidentielle, commerciale, industrielle, etc.), et même par la précision des usages (exemple: résidentiel unifamilial, résidentiel multifamilial, commercial de secteur (dépanneurs, services tels les banques, salons de coiffure),

---

6. Ian Mac F. Rogers, *Canadian Law of Planning and Zoning*, (3, 32), p. 47.
7. La description textuelle de la délimitation des zones n'est pas obligatoire mais très généralisée.

commercial régional (c'est-à-dire centres commerciaux régionaux). Une zone pourra être exclusive si elle n'est consacrée qu'à un seul usage (exemple: au seul usage unifamilial). Inversement, une zone sera dite mixte ou cumulative si plusieurs usages d'une même affectation (exemple: unifamiliale et multifamiliale) ou plusieurs affectations (exemple: résidentielle et commerciale) y sont autorisés.

Les normes d'implantation se rattachent à la zone, au type de bâtiment ou aux deux simultanément. Elles concernent l'implantation du cadre bâti sur le terrain: marges avant, arrière, latérales. Elles peuvent aussi prescrire des rapports plancher/terrain, espaces libres/terrain ou autres. Dans la section normes d'implantation, on trouvera généralement des stipulations quant aux usages accessoires autorisés: piscines, abris de jardins, cordes à linge, foyers extérieurs, garages. Le règlement de zonage peut en effet prohiber certains ou tous ces usages accessoires; il peut aussi les autoriser et imposer des normes. Pour les industries et les commerces, on trouvera généralement à ce chapitre des normes concernant l'entreposage extérieur.

Les limites du zonage

Les limites du zonage sont définies d'une part par les conditions et les circonstances de son avènement et d'autre part par l'interprétation juridique limitative des pouvoirs conférés aux municipalités en la matière.

Jusqu'à tout récemment, les territoires non organisés (TNO) échappaient à toute mesure de contrôle de même que les territoires dont les instances locales ne s'étaient pas prévalu des pouvoirs accordés en ce qui concerne particulièrement le zonage. Territorialement, le zonage était donc limité à certains milieux urbains entourés de secteurs de laisser-faire. De plus, même où il existe, le zonage ne peut bénéficier d'effets rétroactifs et ne concerne donc que les utilisations du sol postérieures à son adoption. Les usages dérogatoires bénéficient de droits acquis rattachés à la propriété et à son utilisation (et non au propriétaire) et peuvent donc être poursuivis sauf dans les cas d'interruption prolongée et dans les cas de destruction, par exemple suite à un incendie. Étant donné que le recours municipal aux instruments de contrôle est relativement récent, la plupart des milieux urbains existants (sauf les banlieues des années '70) se sont développés en grande partie sans ordonnancement institutionnalisé. Bien plus, l'utilisation existante est souvent confirmée dans le règlement de zonage de façon à ce que l'utilisation éventuelle des terrains encore vacants se conforme à l'utilisation majoritaire dans la zone. Enfin, il faut se rappeler que le zonage ouvre des potentialités mais qu'il ne constitue pas un instrument de réalisation. Celle-ci dépend uniquement des intervenants en mesure de prendre les décisions d'utilisation effective du sol.

Le zonage étant l'instrument d'urbanisme le plus efficace et le plus utilisé pratiquement, il est aussi le plus fréquemment confronté au droit de propriété et à la détermination de l'utilisation privée du sol. Ces confrontations ont souvent été portées devant les tribunaux et la jurisprudence ainsi établie a fixé un certain nombre de principes[8] qui doivent être respectés en plus d'avoir incité à une rigueur rédactionnelle qui permette de lever toute ambiguïté susceptible d'interprétation favorable au propriétaire de la part des tribunaux.

1. L'absence de discrimination

Le zonage ne doit pas entraîner de discrimination contre des personnes. Cependant, comme le souligne R. Charles,[9] le but du zonage est précisément d'exercer une discrimination des usages autorisés et prohibés dans une zone donnée. «La règle classique est à l'effet que le règlement doit s'appliquer de la même façon à tous ceux qui tombent sous la portée de la disposition législative sur laquelle le règlement est fondé.»[10] En pratique, les utilisateurs du sol seront donc soumis à des exigences rattachées à la zone et au type de bâtiment et non à des conditions particulières ratta-

8. Ces principes ne sont pas infirmés, du moins dans leur ligne générale, par le nouveau cadre législatif en matière d'urbanisme dont l'application complète pourrait cependant impliquer des nuances.
9. Réjane Charles, «Discrimination en matière de zonage», *Les Cahiers de droit*, vol. 16, n° 2, p. 327.
10. Lorne Giroux, *Aspects juridiques du règlement de zonage au Québec*, p. 169.

chées à leur projet ou à eux-mêmes. Si ce genre de norme n'est pas discriminatoire en lui-même, il implique tout de même, par son application, d'éventuels effets discriminatoires. Ainsi, selon la superficie et la localisation des zones consacrées au multifamilial, la population susceptible d'habiter ce genre de résidence sera plus ou moins nombreuse et plus ou moins favorisée (elle sera possiblement défavorisée par des nuisances si par exemple les zones consacrées au multifamilial sont situées à proximité de voies ferrées ou du parc industriel). Même si le contrôle de l'utilisation du sol n'engendrait pas ce genre d'effets, ceux-ci pourraient néanmoins se produire par les seules décisions d'utilisation du sol, prises le plus souvent par des promoteurs qui placent ensuite leur produit sur le marché. Ainsi, l'on remarque que dans certaines banlieues où le zonage est très permissif, certains types d'utilisations sont majoritairement sinon exclusivement privilégiés à cause soit de la perception du marché qu'ont les promoteurs, soit des politiques des institutions de financement ou autres.

Il est souvent soutenu que le zonage est discriminatoire s'il implique des conséquences négatives pour un seul propriétaire plutôt que pour un ensemble de propriétaires. Par contre, une conséquence favorable à un seul propriétaire n'est pas nécessairement considérée comme discriminatoire. Ainsi, un amendement ponctuel touchant une seule propriété peut en augmenter la valeur le plus souvent si l'on permet une densité plus élevée ou un commerce. De plus, les propriétaires des environs dont la propriété peut être dévalorisée ou qui subissent des nuisances ne seront pas nécessairement considérés comme victimes de discrimination.

2. L'absence de prohibition d'un usage

Ce second principe se rattache au premier en ce que l'absence d'un usage dans un territoire municipal devient discriminatoire envers des personnes intéressées. Par exemple, le zonage ne saurait exclure le multifamilial pour l'ensemble de la municipalité. Ceci équivaudrait à exclure un groupe d'éventuels résidents présentant des caractéristiques probablement spécifiques en termes de mode de vie, d'appartenance socio-économique et autres. Un règlement de zonage excluant ainsi un usage[11] est sujet à contestation devant les tribunaux et peut être annulé, du moins pour la propriété convoitée pour la réalisation de l'usage en cause. Dans ce cas, la municipalité sera privée de moyen de contrôle jusqu'à l'entrée en vigueur d'un nouveau règlement. Entre temps, et en l'absence de contrôle intérimaire, les décisions d'utilisation du sol ne seraient confrontées à aucune réglementation.

3. La possibilité d'utilisation de la propriété

Alors que les deux principes précédents se rattachaient surtout aux personnes, le zonage est aussi limité dans sa confrontation à la propriété elle-même. Il ne doit pas empêcher toute utilisation d'une propriété donnée. Un zonage autorisant exclusivement un ou plusieurs usages ne pouvant être concrétisés sur la propriété est passible d'annulation sinon pour la totalité du règlement, du moins pour les stipulations litigieuses. Il en serait ainsi si, par exemple, un usage multifamilial seul autorisé ne pouvait être réalisé compte tenu des dimensions de la propriété, de la présence d'une voie ferrée ou d'autres contraintes et des marges exigées par le règlement.

4. La non-expropriation

Par rapport à la propriété, le zonage ne doit pas non plus équivaloir à une expropriation déguisée en modifiant par exemple directement ou indirectement le statut de la propriété. Ainsi, un zonage prescrivant une utilisation publique d'une propriété privée pourra être annulé du moins en ce qui concerne cette propriété. Dans la cause *Sula c. Cité de Duvernay,*[12] le zonage municipal prescrivait une utilisation «parc» pour une propriété sur laquelle une résidence multifamiliale était érigée. Le propriétaire, bien que jouissant d'un droit acquis permettant la poursuite de l'utilisation multifamiliale, alléguait que le zonage équivalait à une expro-

---

11. Compte tenu du rôle maintenant dévolu à la municipalité régionale de comté, il est très plausible que la pratique évolue vers un regroupement «régional» rationnel de certains usages très spécifiques.
12. 1970, C.A. 234.

priation déguisée. Si l'édifice avait été détruit par un incendie par exemple, il aurait été impossible d'obtenir un permis pour le reconstruire ou reconstruire tout édifice se rapportant à une utilisation privée du sol. Par conséquent, il a été estimé par le tribunal que le zonage équivalait à la négation du statut privé de la propriété et que la municipalité désirant prévoir une utilisation pour fin de parc devait procéder à l'expropriation plutôt qu'à une expropriation déguisée sous forme de zonage.

5. L'absence de sous-délégation

Le pouvoir de zoner est un pouvoir délégué par la législation provinciale aux municipalités pour leur territoire respectif. Il ne peut être assumé que par le conseil municipal qui adopte un règlement. Même si le zonage est préparé par des spécialistes à titre de fonctionnaires municipaux ou de consultants, c'est le conseil municipal seul qui assume la responsabilité de son adoption. Par la suite, les fonctionnaires ne pourront émettre des permis que conformément au règlement sans possibilité d'interprétation ou d'extension et sans discrétion.[13]

La règle de l'absence de sous-délégation de pouvoirs aux fonctionnaires municipaux implique que le règlement de zonage soit suffisamment précis et rigide pour être appliqué. Cette inflexibilité est l'une des causes du nombre élevé d'amendements que l'on trouve dans plusieurs municipalités puisque toute situation imprévue ou toute modification aux prescriptions du zonage doit faire l'objet d'un règlement d'amendement au zonage adopté par le conseil municipal.

La pratique du zonage[14]

Même si les aspects techniques sont très détaillés dans la plupart des règlements de zonage municipaux, la pratique globale du

---

13. Une municipalité dotée d'un Comité consultatif d'urbanisme peut maintenant adopter un règlement sur les dérogations mineures aux règlements de zonage et de lotissement. Les dérogations mineures doivent cependant respecter les objectifs du plan d'urbanisme.
14. Consulter à ce sujet les articles suivants:
R. Charles, «Discrimination en matière de zonage», *Les cahiers de droit,* vol. 16, n° 2, p. 327-362.

zonage reflète d'abord l'absence d'encadrement administratif porteur d'un dénominateur commun. Ainsi, aucune disposition législative exige que le zonage fasse l'objet d'un règlement qui y soit exclusivement consacré. On a donc retrouvé dans plusieurs municipalités, surtout de petite taille, un règlement de zonage, lotissement et construction. Chaque thème y est alors généralement moins élaboré et moins sophistiqué que dans les municipalités où il est traité dans un règlement distinct. Le ministère des Affaires municipales a semblé privilégier ce mode regroupé de réglementation même au début des années '70 puisqu'il a publié un modèle de règlement de zonage, de construction et de lotissement.[15] De même, de très grandes divergences peuvent apparaître à l'analyse des règlements de différentes municipalités quant au nombre de zones et à leur superficie, quant à la définition des termes utilisés y compris des affectations et des usages, et quant au niveau de précision des normes d'implantation. Malgré ces différences de contenu, la présentation réglementaire du zonage est relativement uniforme:

— dispositions déclaratoires, interprétatives et administratives situant le contexte de l'adoption du règlement et présentant la terminologie utilisée;

— division du territoire municipal en zones;

— usages autorisés dans chaque zone;

D. Pilette, «Composantes des règlements de zonage», *Les cahiers de droit*, vol. 16, n° 2, p. 363-379.
A. Cardinal et M. Labonté, «Application du système I.U.S. à Ville de Laval», *Les cahiers de droit*, vol. 16, n° 2, p. 381-402.
D. Pilette, «Transformation du zonage à Jacques-Cartier», *Recherches sociographiques, vol. XVI, n°* 2, p. 141-154.
R. Charles, «Dynamique du zonage», *Recherches sociographiques*, vol. XVI, n° 2, p. 155-180.
J.P. Caron, J. Chung, R. Jouandet-Bernadat, «Zonage et valeurs foncières», *Recherches sociographiques*, vol. XVI, n° 2, p. 181-206.
R. Charles, «Choix d'utilisation du sol à travers le zonage», *Cahiers de géographie du Québec*, vol. 22, n° 57, p. 349-376.
D. Pilette, «Les acteurs du zonage et leurs pratiques», *Cahiers de géographie du Québec*, vol. 22, n° 57, p. 393-420.

15. Ministère des Affaires municipales, Service d'urbanisme. *Modèle de règlement de zonage, de construction et de lotissement*, Québec, juin 1973.

— normes d'implantation selon le type d'utilisation et/ou de zone: espaces libres exigés, usages accessoires autorisés, stipulations quant aux matériaux de finition extérieure, aux espaces de stationnement et aux enseignes;

— précision du statut des usages dérogatoires, c'est-à-dire des usages non conformes aux dispositions du règlement auxquelles il ne pourrait y avoir de retour après la perte ou l'abandon des droits acquis;

— pénalités prévues dans les cas de non respect du règlement.

Outre l'absence d'un dénominateur commun de type administratif, on note l'absence d'un dénominateur commun de type urbanistique. En effet, l'examen de plusieurs règlements de zonage montre que celui-ci est beaucoup moins ségrégatif quant aux usages et même quant aux affectations que l'on pourrait le penser de prime abord et que les utilisations effectives du sol peuvent tendre à le faire croire. C'est, encore une fois, que le potentiel ouvert par le zonage peut être beaucoup plus diversifié que les réalisations effectives. «Le zonage indique les usages permis mais pas nécessairement effectifs; l'utilisation du sol révèle les usages effectifs mais ne correspondant pas nécessairement aux usages permis.»[16] La diversité des usages et même des affectations autorisés s'exprime sous forme d'un groupement autorisé pour toute la zone. Or, à l'analyse de ces groupements, on note une dispersion générale des choix selon les municipalités et même selon les différentes zones d'une même municipalité. En milieu déjà totalement ou partiellement développé, cette situation peut être attribuable à l'ajustement plus ou moins complet du zonage par rapport aux utilisations effectives du sol afin de minimiser les usages dérogatoires protégés par des droits acquis. Plutôt que de se heurter à sa limite d'application que constituent les droits acquis, on renoncerait en partie à induire des orientations nouvelles par le zonage et on consentirait plutôt à confirmer les orientations existantes. L'instrument intégrerait les contraintes

---

16. R. Charles, «Choix d'utilisation du sol à travers le zonage», *Cahiers de géographie du Québec*, vol. 22, n° 57, p. 351.

qui lui sont inhérentes. En milieu à développer, la dispersion des choix reflèterait, outre la souplesse face à un éventuel marché, le faible consensus urbanistique quant aux conditions de compatibilité des fonctions et des usages sauf dans des cas extrêmes de l'échelle des nuisances générées et quantitativement mesurables. Il faut noter ici que le consensus quant à la compatibilité des usages et des fonctions se révèle non seulement faible mais aussi variable dans le temps. Ainsi, suite à la totale permissivité de l'époque pré-instrumentale en urbanisme, le zonage a pu concrétiser une préférence pour la ségrégation et l'exclusivité des zones surtout pour la fonction résidentielle par rapport aux fonctions industrielle et commerciale de gros. Cette ségrégation répondait alors à un souci de salubrité d'autant plus important que les moyens techniques de réduction des nuisances étaient limités. Elle était de plus facilitée par la généralisation de l'utilisation de l'automobile comme mode de transport individuel. En constatant les difficultés posées par les banlieues-dortoirs tant aux résidents qu'aux administrations municipales, on a pu faire preuve de beaucoup plus de souplesse par rapport au cumul des fonctions, en partie par nécessité. Cette tendance multifonctionnelle tend à s'accentuer dans les années '80 en grande part cette fois par choix et par correspondance aux nouveaux modes de vie qui se développent.

Enfin, la pratique du zonage se caractérise par son dynamisme réglementaire. Dès l'entrée en vigueur du règlement de zonage commence un important cortège d'amendements, lesquels doivent aussi faire l'objet de règlements adoptés par le Conseil municipal. Le nombre élevé d'amendements ne saurait être imputé uniquement à la rigidité du zonage de base. Il dépend aussi du degré de permissivité qu'adopte l'Administration municipale face aux demandes des utilisateurs du sol lorsque des utilisations soit effectives soit projetées ne sont pas conformes à la réglementation. Si le Conseil municipal accède à une requête formelle ou informelle et adopte un amendement, celui-ci peut toucher la seule propriété en cause (il s'agira alors d'un zonage ponctuel) ou l'ensemble de la zone. Le zonage ponctuel n'est habituellement pas considéré comme discriminatoire puisque si discrimination il y a, elle va plutôt dans un sens favorable à la propriété, facilitant même une transaction le cas échéant. Dans de nombreux cas, l'amendement modifie les normes applicables à la zone au complet à partir d'une requête d'un seul propriétaire. La même zone peut être soumise à plusieurs amendements successifs. Sur une période de quelques années, il arrive fréquemment que le zonage de base soit modifié de façon importante pour une partie majoritaire du territoire. Bref, le fort dynamisme réglementaire en matière de zonage entraîne l'instabilité des zones, la variation des usages autorisés et la fluctuation des normes d'implantation. Notons que la modification des délimitations de zones signifie, pour le secteur incorporé à une nouvelle zone, un changement tant des usages autorisés que des normes d'implantation, à moins que les zones originales n'aient prescrit des dispositions identiques, ce qui n'est pas exclu. En plus d'être nombreux, les amendements sont donc soit très importants qualitativement, soit très marginaux quand ils ne portent que sur des normes d'implantation. Dans ce dernier cas, ils découlent de la technique très détaillée du règlement de base.

Le dynamisme réglementaire en matière de zonage illustre bien l'importance de l'apport technique et de l'apport politique dans le processus de contrôle de l'utilisation du sol. Mais il résulte aussi de la dissociation des deux types d'apport: le véritable processus de négociation des choix prend place après l'adoption du règlement de base par le Conseil municipal. Cette négociation s'effectue souvent cas par cas, ce qui exclut le consensus et multiplie le nombre de règlements d'amendements. On se demande à la fin si les choix retenus dans le processus de contrôle de l'utilisation du sol représentent bien un intérêt collectif ou s'ils ne reflètent pas plutôt une mozaïque d'intérêts individuels négociés à la pièce ou presque et inscrits chacun dans un règlement municipal spécifique de zonage. Chose certaine, le dynamisme réglementaire illustre que les choix ne sont pas neutres mais découlent plutôt d'enjeux dont les intervenants sont très conscients, y compris la municipalité dont d'ailleurs les revenus dépendent de la richesse foncière. Si ces enjeux ne sont pas considérés dès le début de la démarche de planification, il risque fort de se produire une multiplicité de remises en cause ultérieurement. Et même si les enjeux sont exprimés et évalués soigneusement au point de départ, il n'est pas certain qu'un instrument aussi rigide que le zonage permette à des utilisations privilégiées pour l'avenir local de s'y inscrire effectivement.

3 Promotion foncière et immobilière

Si la période de l'après-guerre a marqué l'introduction de pratiques urbanistiques dans le champ des activités des administrations publiques municipales, elle a correspondu aussi à une forte poussée de l'urbanisation, et plus spécifiquement de la suburbanisation, ainsi que de la construction. Les deux courants, le premier assumé par les instances publiques locales et le second essentiellement par le secteur privé, ont connu l'apogée de leur dynamisme au milieu des années '70. Or, tandis que le premier faisait l'objet d'analyses systématiques dont les principales conclusions ont été présentées précédemment, du moins quant aux particularités québécoises, le second était relativement laissé pour compte sauf principalement pour des analyses du produit architectural, de l'emploi dans le secteur de la construction, et de l'apport de l'industrie de la construction aux activités économiques et financières. L'INRS-Urbanisation a cependant consacré une recherche d'envergure à la production des nouveaux espaces résidentiels.[1]

---

1. Recherche dirigée par Gérard Divay de 1976 à 1981 et ayant donné lieu à la publication d'un volume, d'un rapport de recherche, et de plusieurs numéros de la série «études et documents» de l'Institut national de la recherche scientifique (I.N.R.S.-Urbanisation à Montréal).

Le présent chapitre concerne les conditions de la production privée du cadre bâti en tant que phénomène prenant place en interaction avec les interventions municipales, sur les mêmes territoires, et en tant que composante du développement urbain et suburbain. Ce développement repose toutefois aussi sur les utilisations publiques du sol dont il a été traité précédemment. Plus précisément, nous nous attacherons ici à la promotion comme forme spécifique du mode de production du cadre bâti et aux intervenants, les sociétés promotrices, dont l'organisation interne, systémique et spatiale sera examinée. Ce chapitre repose entièrement sur une analyse[2] complétée en 1980 à partir de données recueillies pour l'année 1975.

Nous définissons comme promoteurs les intervenants ultimement responsables de la production du cadre bâti pour fins de commercialisation (vente ou location du bien immobilier produit). Sont donc exclus les producteurs qui sont aussi les consommateurs finals de leur cadre bâti: tant l'individu qui assume la responsabilité de la construction de sa propre habitation que l'entreprise qui fait construire un local commercial ou industriel pour y tenir ses activités. Bien qu'ils ne puissent être considérés comme des promoteurs, ces intervenants individuels ou corporatifs sont des initiateurs d'utilisations du sol. La définition retenue n'inclut pas non plus nécessairement le constructeur si celui-ci n'effectue que les travaux techniques sans assumer lui-même la recherche du financement et la responsabilité de la commercialisation du produit final.

Il est important de distinguer les promoteurs selon que le produit est de nature foncière ou de nature immobilière. Bien sûr, l'objet de la promotion est la production du cadre bâti et le processus peut être continu et assumé par un seul intervenant, soit le promoteur immobilier. Cependant, le processus peut aussi être discontinu et assumé successivement par le promoteur foncier et

---

2. Danielle Pilette, *Les promoteurs au Québec: les secteurs foncier et immobilier résidentiel,* thèse de Ph.D. présentée à l'Université de Montréal, 1980.
Un article a aussi été publié sur ce thème:
Danielle Pilette, «Les promoteurs et les contrôles de l'utilisation du sol», *Actualité immobilière,* vol. 4, n° 4, pp. 19-22 et vol. 5, n° 1, pp. 29-32.

le promoteur immobilier. Le rôle du promoteur foncier se rapporte alors à l'intégration du sol au processus de production et plus spécifiquement à l'acquisition des terrains, à leur préparation physique (démolition, déblaiement, consolidation), à la préparation légale (lotissement ou remembrement, demande de modification de la réglementation). Le rôle du promoteur immobilier s'articule alors essentiellement autour de la construction, du financement et de la commercialisation.

La promotion et les promoteurs

Pendant longtemps, le cadre bâti a été produit par l'individu ou par la collectivité en réponse à ses propres besoins. Le cadre bâti constituait alors le complément du terrain possédé et l'individu ou la collectivité pouvait en être considéré comme le promoteur. Ce type d'initiative est devenu de plus en plus marginal lorsque la possibilité de rapprocher la production du bâtiment du mode capitaliste de production est apparue. Ce nouveau type de production étant caractérisé par sa continuité, le besoin de sols-supports devenait constant. Or, la propriété foncière et la multiplicité des propriétaires constituaient des obstacles à l'approvisionnement régulier en sols pour les constructeurs. L'un des rôles de la promotion a dès lors été défini comme la mise en disponibilité du sol pour la production du cadre bâti. La promotion est donc une conséquence à la fois du mode de propriété, du nombre de propriétaires et des exigences du mode de production du cadre bâti. Pour Topalov, la promotion répond à la nécessité de transformer un bien patrimonial, le terrain, en une marchandise intégrée au cycle de production.

> «Mettre un terrain à la disposition d'un capital, c'est-à-dire rendre possible la transformation du capital-argent en sol est une fonction rendue nécessaire par l'appropriation privée du sol urbain.»[3]

Le moment où le propriétaire foncier a cessé d'être le seul et même le principal promoteur de la construction n'a pas coïncidé

3. Christian Topalov, *Les promoteurs immobiliers,* p. 103.

avec un affaiblissement du droit de propriété, celui-ci demeurant, du moins dans le monde occidental, un fondement du pouvoir politique et une expression de l'économie libérale.[4] La relation entre la propriété foncière et le pouvoir a d'ailleurs été soulignée à propos de la société montréalaise du XIXe siècle.

> «Notre hypothèse est que la bourgeoisie canadienne-française, tout en participant de façon minoritaire au capital financier, commercial ou industriel a eu véritablement ses assises économiques dans le secteur foncier. Que loin d'y voir un placement passif, elle a cherché à faire une exploitation capitaliste de ce patrimoine foncier qui s'accumulait de génération en génération. Si cette hypothèse s'avérait juste, elle résoudrait cette apparente contradiction entre le contrôle idéologique qu'a exercé cette bourgeoisie sur les masses canadiennes-françaises et la faiblesse de ses assises économiques dans le secteur industriel. Le capital foncier est lui aussi, source de pouvoir et de domination.»[5]

L'organisation de la propriété foncière est donc non seulement l'une des sources historiques de la promotion, mais aussi un obstacle permanent au mode dominant de production du cadre bâti. L'obstacle surmonté, le terrain n'est plus un bien patrimonial mais une marchandise intégrée au cycle de production du cadre bâti. À ce titre, il demeure objet de propriété, cette fois du promoteur. Par l'acquisition du sol-support, le promoteur bénéficie à son tour du statut garanti à la propriété.

Diverses analyses donnent lieu à des conclusions opposées en ce qui concerne l'importance relative des composantes du processus de production. Pour certains auteurs, le financement est déterminant alors qu'il ne représente, pour d'autres auteurs, qu'une sous-étape, certes essentielle, aux étapes d'acquisition, de préparation, de production et de commercialisation. Le promoteur apparaît donc comme un agent ou comme un acteur, selon que l'on estime que le système de la promotion est subordonné au système du financement ou selon que l'on estime au contraire que le financement est canalisé par le promoteur-entrepreneur.

---

4. Consulter à ce sujet Edgard Pisani, *Utopie foncière*.
5. Paul-André Linteau et Jean-Claude Robert, «Propriété foncière et société à Montréal: une hypothèse», *Revue d'histoire de l'Amérique française*, vol. 28, n° 1, p. 63.

Ces différences de perspectives mises à part, la promotion telle que pratiquée actuellement résulte de deux niveaux de division de la production du cadre bâti. Le premier niveau est celui qui a conduit à l'apparition même de la promotion: il concerne la dissociation de la propriété foncière et de la production du cadre bâti. Le deuxième niveau concerne la distinction de la promotion foncière et de la promotion immobilière tant par leurs objets que par les intervenants qui les assument. Cette distinction, au niveau des pratiques, est essentiellement explicable par les délais impliqués.

La promotion étant un processus dynamique, la condition essentielle de sa manifestation est l'apport d'un changement par rapport à un état initial. Le changement apporté peut être essentiellement de nature physique (exemple: production d'un cadre bâti), juridique (exemple: lotissement, remembrement), économique (exemple: subdivision d'un immeuble résidentiel) ou «urbanistique» (exemple: changement de fonction urbaine). La base utilisée pour de telles modifications peut être le sol ou l'immeuble faisant déjà partie du stock immobilier existant. Le support de la promotion peut donc être de nature foncière ou immobilière. Il en va de même pour le produit, qui peut aussi être de nature foncière ou immobilière. Dans le cas d'une transformation juridique telle le lotissement, la base et le produit sont de nature foncière. Dans une opération de construction, la base est de nature foncière mais le produit est de nature immobilière. Une seule possibilité est exclue: celle d'un produit foncier à partir d'une base immobilière. La présence d'un immeuble n'annule certes pas toute possibilité de transformation de son sol-support et d'un produit foncier émanant de l'opération. Cependant, l'immeuble constitue dans ce cas non pas une base ou un support mais plutôt un obstacle à une transformation de l'utilisation du sol. En général, les objets de la promotion sont distincts par rapport à la base comme par rapport au produit.

Le type d'intervenants impliqués est déterminant de l'existence du phénomène de la promotion. On reconnaît la promotion à ce que les acteurs qui prennent en charge un ensemble d'opérations ne sont ni les propriétaires fonciers d'origine, pour qui le sol est un bien patrimonial, ni les usagers consommateurs du bien immobilier. Selon Goldberg,[6] les promoteurs immobiliers de la région de Vancouver ne s'intéressent généralement qu'aux terrains déjà zonés et équipés et n'assument donc pas eux-mêmes les opérations de première acquisition de terrains et de préparation. Ils ne s'engagent pas non plus dans une longue rétention des sols, bien qu'ils détiennent toujours suffisamment de terrains pour alimenter leurs opérations courantes. De plus, les deux tiers (⅔) des promoteurs immobiliers interrogés disent ne jamais acquérir des sols dans un but de revente à d'autres promoteurs immobiliers. Enfin, près de la moitié des promoteurs immobiliers ayant transigé des terrains avec des concurrents estiment que ces opérations étaient purement circonstancielles. Chamberlain estime aussi que les promoteurs immobiliers n'assument pas toutes les étapes du développement; ils se consacrent essentiellement à la production et à la mise en marché du cadre bâti. L'acquisition de terrains et la préparation sont alors du ressort du promoteur foncier.

> «It is frequently the case in land conversion that the developer's function will be split, with one actor preparing the land and selling it, in the form of registered lots, to a second actor, usually a merchant builder.»[7]

La distinction entre les intervenants de la promotion foncière et de la promotion immobilière peut être attribuée essentiellement à la durée du processus de promotion. Il a été établi que le processus débute au moment où le sol cesse d'être un bien patrimonial et entre dans le cycle de production du cadre bâti. La promotion foncière peut impliquer de longs délais de rétention du sol avant que ne débute le processus de promotion immobilière. Si la promotion foncière précède temporellement la promotion immobilière, elle peut aussi lui succéder, et porter sur un terrain supportant déjà un cadre bâti. Théoriquement, le processus de promotion foncière peut donc être continu, son point de départ

---

6. Michael A. Goldberg et Daniel D. Winder, «Residential Developer Behavior 1975: Additional Empirical Findings», *Land Economics*, août 1976, p. 366.
7. Simon B. Chamberlain, *Aspects of Developer Behavior in the Land Development Process*, p. 11.

étant la transformation du sol, d'abord bien patrimonial, en une marchandise intégrée au cycle de production. Au contraire, la promotion immobilière est un processus discontinu dont l'étendue tend à être aussi limitée que possible à cause de la nécessité d'une rotation rapide du capital immobilier.

Si, au niveau des pratiques, la promotion foncière peut être distinguée de la promotion immobilière, il n'en demeure pas moins que l'existence de la première est subordonnée à l'existence de la seconde. En effet, la promotion foncière a pour objet l'aménagement du potentiel foncier en fonction des conditions de la production du cadre bâti. En ce sens, il est possible d'affirmer que les deux types de promotion ont un objectif commun soit la production du cadre bâti.

L'organisation interne des entreprises de promotion au Québec

En 1975, on recensait 1 477 entreprises de promotion foncière actives au Québec. Leurs sièges sociaux y étaient aussi établis sauf dans vingt (20) cas, soit dix (10) sièges sociaux à l'étranger et dix (10) sièges sociaux ailleurs au Canada. Le nombre d'entreprises de promotion immobilière était encore plus élevé. À partir d'un échantillon de 292 entreprises de promotion foncière et de promotion immobilière, diverses caractéristiques ont pu être dégagées des renseignements contenus dans les rapports annuels produits par ces entreprises. Outre le fait que les sociétés de promotion foncière et de promotion immobilière actives au Québec soient québécoises au sens où leur siège social y est établi, elles présentent les caractéristiques analysées ci-après.

1. Un choix unanime: la compagnie à fonds social

Au moment de la constitution d'une société, les requérants doivent choisir entre divers mode d'existence juridique. À l'examen, il appert que toutes les sociétés promotrices sont constituées en compagnies à fonds social. Toutes sont donc des sociétés de capitaux qui se différencient des sociétés de personnes par leur caractère de permanence et par la limitation de la responsabilité des actionnaires à la valeur des actions détenues. La compagnie à fonds social étant la forme la plus utilisée au Canada, les sociétés promotrices ne font que se conformer à une tendance générale à la privilégier.

2. Les activités assumées: quelque diversité et tendances à la diversification

L'activité principale d'une très nette majorité de promoteurs fonciers est cristallisée autour du lotissement et de la mise en valeur de biens fonciers. Cependant, environ le tiers ($^1/_3$) des promoteurs fonciers étrangers, le cinquième ($^1/_5$) des promoteurs du Canada (hors Québec) et le dixième ($^1/_{10}$) des promoteurs montréalais se présentent d'abord comme des sociétés d'investissement et de portefeuille ou d'assurances et d'affaires immobilières. La tendance, dans la diversité des activités principales, s'oriente donc vers la gestion, soit financière, soit immobilière. Dans les cas de diversification par la tenue d'activités complémentaires à l'activité principale, l'orientation est nettement vers l'immeuble: exploitation, administration et dans quelques cas construction.

Les promoteurs immobiliers, même en se définissant formellement par rapport à la construction domiciliaire, estiment en général que leur activité principale consiste en la construction d'immeubles de tous types plutôt qu'en la construction, plus spécifique, d'immeubles résidentiels.

3. Des sociétés de l'après-guerre

Une forte concentration (42 %) des sociétés de promotion actives en 1975 a vu le jour entre 1955 et 1964 mais les sociétés nées entre 1965 et 1975 forment le groupe le plus important (52 %).

4. La minimisation des capitaux

La valeur du capital-actions autorisé par la charte de la majorité des sociétés promotrices était de moins de 40 000 $ en 1975. De plus, le capital-actions émis et payé par les actionnaires représentait des valeurs très inférieures au potentiel dans la majorité des cas.

5. Le caractère privé

La presque totalité des sociétés promotrices se trouve dans la catégorie des compagnies privées dont le nombre d'actionnaires est limité mais qui ne sont pas astreintes à la publication de leur rapport financier annuel.

6. Les nombres restreints d'actionnaires

Dans l'ensemble des sociétés de promotion, la plus forte concentration (42 %) se trouve dans la catégorie d'un seul actionnaire. 84 % des sociétés ont trois (3) actionnaires ou moins.

7. Un personnel réduit

À l'exception de deux (2) promoteurs fonciers de Montréal, toutes les sociétés promotrices qui ont un personnel composé de plus de cinq (5) personnes sont des sociétés de promotion immobilière résidentielle. Ce genre d'activité semble donc requérir un personnel légèrement plus important.

8. La propriété de biens immobiliers: l'implication d'une minorité de promoteurs

Environ 70 % des promoteurs n'ont divulgué aucune propriété immobilière lors de la production de leur rapport de 1975. Le groupe ralliant la majorité des promoteurs propriétaires se situait dans la catégorie 100 000 $ ou moins comme valeur des biens détenus.

9. Homogénéité et différences chez les promoteurs

Les sociétés promotrices sont certes caractérisées par l'homogénéité relative qu'elles présentent par rapport à chaque variable examinée. Cependant, justement à cause de cette homogénéité et de la petite taille de la majorité des sociétés de promotion, les différences pourraient devenir importantes. Or, l'analyse plus spécifique du groupe des sociétés qui se distinguent sous certains aspects montre une disparité assez prononcée pour que l'on ne puisse parler d'un groupe privilégié.

Le système des promoteurs

Pris globalement, le système des promoteurs apparaît caractérisé par le nombre imposant de ses intervenants et par l'opacité qui l'entoure, la première caractéristique contribuant d'ailleurs à la seconde. Si l'objet de la promotion peut être défini théoriquement, il demeure difficile à cerner empiriquement. L'opacité entourant les intervenants est attribuable en partie au caractère privé de la très grande majorité des sociétés promotrices, ce qui dérobe nombre de renseignements à l'analyse. Elle est aussi accentuée par la jeunesse de ces entreprises et par la limitation de leurs ressources humaines et financières. De plus, dans une société par actions, la raison sociale n'est pas tenue de correspondre aux noms des actionnaires, ce qui comporte une part d'opacité quant aux propriétaires effectifs. Or, les secteurs foncier et immobilier impliquent notamment des transactions avec les détenteurs d'une ressource limitée en l'occurrence le sol, et l'opacité peut devenir un atout avantageux. Ces secteurs impliquent fréquemment aussi des négociations avec la municipalité et «l'anonymat» d'une raison sociale peut devenir important quant aux représentations et aux objections que la population pourrait opposer si la transparence lui permettait d'obtenir un portrait plus global des intervenants et des projets.

La distinction entre propriété foncière et promotion, confirmée par le fait que près de 70 % des promoteurs ne divulgent aucune propriété (foncière/immobilière), et la division des pratiques des promoteurs fonciers et des promoteurs immobiliers créent une situation porteuse d'un risque de déstabilisation dans le processus d'utilisation du sol.

Sur le plan de l'aménagement, la succession d'intervenants impliqués peut avoir des impacts très significatifs pour les intérêts privés autant que pour la collectivité. D'une part, un état d'indétermination affecte le sol sujet à la promotion foncière pendant toute la durée du processus. Par conséquent, si le propriétaire foncier est encore le détenteur du terrain, il manifeste peu d'intérêt pour l'utilisation du sol existante. Ceci pourra se traduire par un ralentissement de la production agricole ou par la détérioration de l'état des habitations par exemple dans les cas d'utilisations agricole ou résidentielle. Si le propriétaire foncier a cédé le terrain au promoteur, la déstabilisation de l'utilisation du sol sera encore plus accentuée, surtout s'il s'agit d'une utilisation agricole. Par ailleurs, le lotissement du terrain constitue une étape déterminante du point de vue de l'aménagement. D'une part, ce simple procédé juridique confère généralement une valeur ajoutée à l'ensemble du terrain loti, la valeur de l'ensemble des lots devenant supérieure à la valeur d'un terrain non divisé. Dès lors, le lotissement constitue un obstacle sérieux à la poursuite des utilisations du sol antérieures puisque des transactions conduiront les nouveaux propriétaires à rentabiliser la valeur ajoutée incluse dans le prix de leur achat. D'autre part, les normes qui prévalent lors du lotissement déterminent assez précisément les nouvelles utilisations du sol possibles. Le lotissement en tant que tel élimine en pratique la possibilité d'une utilisation agricole. De plus, à cause de la pratique québécoise de parcellisation maximum lors du lotissement, il devient difficile de planifier de grands ensembles intégrant de multiples fonctions urbaines. Selon les normes qui ont prévalu lors du lotissement, la dimension et l'agencement des lots orienteront donc les nouvelles utilisations du sol vers des usages résidentiels distincts (exemple: unifamilial, bifamilial ou multifamilial) ou vers des affectations commerciales ou industrielles. Dans ce sens, l'action du promoteur foncier est très déterminante pour les intérêts privés. Elle l'est encore davantage si le lotissement est accompagné (logiquement, il devrait être précédé) d'une demande de modification du zonage. Le zonage municipal est un instrument de contrôle de l'utilisation du sol qui détermine, pour chaque partie du territoire municipal, des usages autorisés et des normes d'implantation en rapport avec ces usages. Cependant, le zonage ne constitue qu'un potentiel d'utilisation du sol dans la mesure où, prohibant catégoriquement certaines utilisations dans certaines zones, il dépend pour sa réalisation de la concordance des usages qu'il autorise aux usages souhaités par les nouveaux utilisateurs ou, surtout, par les producteurs. Si cette concordance n'existe pas, le sol demeurera vacant. Cependant, dans les cas de non-concordance, le futur utilisateur ou le producteur peut présenter une requête d'amendement au zonage au conseil municipal. Or, le zonage est un secteur de réglementation municipale où existe un dynamisme marqué. Par conséquent, de fortes probabilités existent pour que le zonage soit modifié par voie d'amendement adopté par le conseil municipal, d'autant plus que jusqu'à récemment, les municipalités se sont livrées une sévère concurrence dans le but de favoriser de nouvelles utilisations à l'intérieur de leurs limites territoriales et qu'elles se sont donc montrées enclines à beaucoup de souplesse dans la modification de leur réglementation de zonage. Enfin, le lotissement, par les choix d'utilisation du sol qu'il indique, a aussi un impact déterminant pour les intérêts publics puisqu'il indique de nouvelles zones à doter, à court terme d'infrastructure et à plus long terme, il oblige de nombreuses instances publiques à réviser l'adéquation des équipements de superstructure, principalement les établissements des réseaux de l'éducation et des affaires sociales.

Tout ce processus est enclenché par les promoteurs fonciers sur la base de leurs perceptions des besoins en sols-supports des promoteurs immobiliers. Il s'ensuit nécessairement un certain flottement puisque l'intervention des promoteurs fonciers précède temporellement celle des promoteurs immobiliers et que ce délai entraîne non seulement une déstabilisation de l'utilisation du sol existante mais aussi une éventuelle sous-utilisation des équipements publics nouvellement installés. De plus, il risque aussi de s'ensuivre un certain gaspillage imputable aux effets des changements de conjoncture sur la quantité et le type de cadre bâti produit.

Or, la dichotomie entre promoteurs fonciers et promoteurs immobiliers existe bel et bien chez les promoteurs actifs au Québec. Il ne s'agit pas d'une spécialisation des promoteurs mais plutôt de l'existence de deux types de promoteurs distincts, engagés dans des secteurs spécifiques d'activités et maintenant, entre eux, peu de liens formels de type participation au conseil d'administration ou propriété d'actions.

L'organisation des promoteurs pour l'intervention spatiale

L'ensemble des considérations précédentes met en relief l'importance des promoteurs fonciers du point de vue de l'aménagement du territoire. Si en effet, les promoteurs immobiliers sont responsables des interventions les plus visibles puisqu'impliquant le cadre bâti, les promoteurs fonciers interviennent à titre d'initiateurs du processus de promotion. Or, outre leur importance numérique, ils sont caractérisés par leur dispersion géographique. Leur présence se manifeste en effet dans toutes les régions du Québec et même dans des municipalités de très petite taille. Une telle dispersion géographique apparaît comme un indicateur de la spécificité territoriale de leurs interventions qui s'ajoute à la spécificité des interventions des promoteurs fonciers par rapport aux promoteurs immobiliers. Nous sommes donc en présence d'une multiplicité de promoteurs autonomes, prenant leurs propres décisions selon leur perception de leurs intérêts respectifs. Ce mode d'organisation correspond au mode d'organisation du contrôle de l'utilisation du sol, exercé par une multiplicité d'administrations locales pour leur propre territoire, sans coordination de leurs objectifs respectifs.

L'ampleur territoriale prise globalement par le phénomène de la promotion, particulièrement foncière, semble s'expliquer par deux facteurs, eux-mêmes interreliés: la concordance des intérêts perçus par les divers intervenants impliqués dans la croissance urbaine et l'existence de promoteurs présentant des caractéristiques d'entrepreneurs plutôt que d'agents d'un capital financier de circulation.

1. La concordance des intérêts

Au cours des années '70, il a souvent été allégué que le sol détenu par les propriétaires fonciers, et en particulier par les agriculteurs, constituait pour eux un régime de retraite particulier et individualisé qui les prémunissait contre les effets de l'inflation en leur permettant de bénéficier de ce phénomène lors d'une transaction éventuelle. De plus, les propriétaires fonciers pouvaient bénéficier d'une rente de localisation dans la mesure où l'expansion urbaine se rapprochait des sols détenus. Des propriétaires fonciers qui n'avaient pas de projets précis d'utilisation du sol détenu ou qui n'entendaient pas poursuivre leur utilisation, particulièrement agricole, percevaient donc l'intérêt d'introduire leurs terrains dans le processus de production du cadre bâti. Quant aux responsables municipaux, reflétant en cela l'attitude de nombre de citoyens, ils percevaient la croissance urbaine comme un moyen de rivaliser avec les municipalités voisines et comme une justification pour l'accroissement des équipements urbains et l'expansion de l'administration municipale.

2. Des promoteurs-entrepreneurs

Il ne semble pas cependant que le phénomène de la promotion aurait pu prendre une telle ampleur dans l'ensemble du Québec si la promotion avait été prise en charge par quelques promoteurs importants, agents d'un capital de circulation. Dans ce cas, la croissance urbaine aurait été concentrée dans quelques villes du Québec offrant des potentialités intéressantes du point de vue de la rotation du capital. La prolifération des sociétés de promotion dans l'ensemble du territoire québécois a été rendue possible parce qu'il s'agissait de promoteurs-entrepreneurs locaux qui connaissant bien les possibilités de la croissance locale, pouvaient rentabiliser leurs investissements même si les délais de production du cadre bâti pouvaient être supérieurs dans les villes de province à ceux qui auraient parus acceptables aux promoteurs plus importants. De plus, les promoteurs locaux pouvaient bénéficier de la compréhension des conseils municipaux locaux. D'ailleurs, nous avons pu constater que certaines sociétés de promotion établies en province comptaient des membres de leur conseil d'administration qui ont aussi agi comme conseillers municipaux dans les villes où ces sociétés étaient établies.

3. L'évolution du contexte: la divergence des intérêts municipaux et de promotion

Il semble toutefois que les divers intérêts mis en présence dans le phénomène de la croissance urbaine, soit ne coïncident plus aussi exactement, soit sont appelés à coïncider de moins en moins. Le facteur le plus important de cette divergence d'intérêt se situe entre la municipalité et le promoteur. Les municipalités sont de plus en plus placées dans des situations financières de rigueur, attribuables en grande partie à l'étalement urbain, aux coûts des équipements rendus indispensables par la croissance urbaine et à l'atteinte d'un seuil d'imposition foncière difficile à dépasser. Alors que les municipalités doivent envisager de freiner la croissance pour des terrains non encore desservis, la nature même de la promotion exige l'expansion continuelle de l'urbanisation. En projetant cette divergence d'intérêts dans l'avenir, on peut supposer que la conjoncture des finances municipales entraînera une diminution du nombre de promoteurs et favorisera les sociétés de promotion bénéficiant de ressources financières assez importantes pour leur permettre d'assumer elles-mêmes l'installation des équipements d'infrastructure inhérents à la croissance urbaine.

4

Uniformisation des structures et des contrôles: les lois-cadres

Très tôt après les élections et la formation d'un nouveau gouvernement en novembre 1976, trois (3) lois importantes ont modifié le contexte urbanistique au Québec. Ces lois se rapportent respectivement à la protection du territoire agricole, à l'aménagement et l'urbanisme, et à la fiscalité municipale. Après les tergiversations qui avaient antérieurement entouré la publication de rapports et la présentation d'avant-projets ou de projets législatifs sur l'urbanisme, la rapidité avec laquelle le nouveau gouvernement a procédé est remarquable. De même est notable l'ampleur des réformes qui touchent aussi le territoire agricole et le financement des instances locales et qui correspondent d'ailleurs à des promesses électorales.

Outre la rapidité de la mise en place du nouveau contexte, il faut souligner que les réformes ont été effectuées à partir d'un focus territorial plutôt qu'à partir d'un focus démo-économique.

Un focus de ce dernier type aurait en effet priorisé l'encadrement du développement territorial des bassins les plus importants quant à la population et aux activités économiques et, en premier lieu, de la région montréalaise. Au contraire, sans doute à cause de ses assises politiques plus régionales que métropolitaines, sans doute aussi à cause de l'allégeance de beaucoup de politiciens municipaux au parti qui formait, après 1976, l'opposition, la majorité gouvernementale a privilégié la réforme qui touchait la proportion la plus vaste du territoire développé, soit le territoire agricole. Cette préséance s'est traduite non seulement chronologiquement, par l'adoption de la Loi sur la protection du territoire agricole dès 1978, mais aussi par sa conséquence: l'obligation faite en pratique aux municipalités de planifier à partir du territoire épargné à l'encadrement agricole.

Par les réformes, l'initiative, auparavant peu systématiquement exercée, de la planification du territoire agricole est retirée aux municipalités auxquelles on dit accroître leur autonomie en matière d'aménagement et d'urbanisme de même qu'en matière fiscale.

► La Loi sur la protection du territoire agricole

Traditionnellement, la société québécoise a été attachée à l'agriculture comme activité privilégiée, d'autant plus que le milieu rural dans lequel elle s'exerçait favorisait la perpétuation de l'organisation socio-culturelle. Cette activité s'est traduite par le défrichement et l'exploitation de portions de plus en plus étendues du territoire québécois même si certaines y étaient moins propices. L'urbanisation a par la suite continuellement rongé les territoires agricoles, la plus grande quantité des meilleures terres agricoles du Québec se trouvant dans la vallée du Saint-Laurent dont la vocation naturelle de voie de circulation maritime a favorisé le développement de milieux urbains le long de ses rives. De plus, la forme prise par le développement urbain dans les dernières décennies, et plus particulièrement sa faible densité, a nécessité une consommation plus grande de terrain per capita. De sorte que le Québec a accumulé des diminutions de superficies cultivées au fil des ans. C'est dans ce contexte qu'a été élaborée la Loi sur la protection du territoire agricole, adoptée en décembre 1978.

L'objectif principal dont se réclame cette loi est celui d'une amélioration de l'auto-suffisance alimentaire. Cet objectif suggérerait trois types de mesures:

— des mesures visant la quantité de terres effectivement ou potentiellement consacrées à l'agriculture;

— des mesures visant la qualité de la production agricole et la rationalisation des types de production;

— des mesures d'ordre financier et fiscal favorisant la rentabilisation de l'activité agricole en même temps que des mesures favorisant la formation de travailleurs agricoles.

La Loi sur la protection du territoire agricole s'inscrit dans le premier type. Elle est essentiellement une loi de macro-zonage en ce sens que d'une part, elle vise des territoires de plusieurs municipalités et de plusieurs régions, et que d'autre part, elle privilégie une affectation donnée du sol, en l'occurrence l'affectation agricole. La Loi prohibe donc, pour les territoires concernés, toute utilisation du sol différente ou incompatible avec l'agriculture. Elle ne peut cependant assurer directement l'atteinte d'un seuil souhaité de production agricole puisqu'elle ne comporte aucune mesure en ce sens non plus que dans le sens d'un zonage des types de productions. Même du point de vue de son objet, c'est-à-dire l'affectation, la Loi rencontre certaines des limites du zonage traditionnel en prohibant ce qui est considéré comme des affectations non souhaitables sans imposer l'exploitation effective. Cependant, la Loi sur la protection du territoire agricole introduit un objet de contrôle complémentaire à l'affectation: les mutations des propriétés présentant certaines caractéristiques que nous expliquerons ci-après. Cette innovation dans l'étendue du contrôle a été aussi intégrée, bien que pour des cas spécifiques, dans la Loi sur l'aménagement et l'urbanisme adoptée ultérieurement. Par rapport à cet objet de contrôle complémentaire à l'affectation, la Loi sur la protection du territoire agricole dépasse le zonage traditionnel et protège l'intégralité des exploitations agricoles.

Les principes: les objets de contrôle

Les principes retenus par la Loi pour les territoires concernés sont ceux de la protection de l'affectation et de la protection de l'intégralité de l'exploitation agricole.

Affectation: une personne ne peut utiliser un lot à une autre fin que l'agriculture. La Loi définit l'agriculture comme la culture du sol et des végétaux, le fait de laisser le sol sous couverture végétale ou de l'utiliser à des fins sylvicoles, l'élevage des animaux et à ces fins, la confection, la construction ou l'utilisation de travaux, ouvrages ou bâtiments à l'exception des résidences (art. 1, par. 1).

Intégralité de l'exploitation agricole:

— Une personne ne peut utiliser une érablière à une autre fin, ni y faire la coupe des érables, sauf pour des fins sylvicoles de sélection ou d'éclaircie. L'érablière est définie comme un peuplement forestier propice à la production de sirop d'érable (art. 1, par. 7).

— Une personne ne peut procéder à l'enlèvement du sol arable, ni y étendre en superficie une telle exploitation déjà commencée. Par sol arable, on entend dans la Loi le sol possédant les propriétés qui le rendent propice à la croissance des végétaux (art. 1, par. 16).

— Une personne ne peut effectuer un lotissement c'est-à-dire un morcellement d'un lot au moyen du dépôt d'un plan et livre de renvoi résultant notamment de l'article 2174b ou 2175 du Code civil ou au moyen d'un acte d'aliénation d'une partie de ce lot (art, 1, par. 10).

— Une personne ne peut procéder à l'aliénation d'un lot si elle conserve un droit d'aliénation sur un lot contigu ou qui serait par ailleurs contigu s'il n'était pas séparé du premier lot par un chemin public (art. 29).

— L'aliénation d'un ou de plusieurs lots contigus ou qui le seraient s'ils n'étaient pas séparés par un chemin public ne peut être faite à plus d'une personne. Cette disposition (art. 29, p. 2) a toutefois été abolie en 1982, le contrôle du morcellement s'effectuant plutôt à la source que lors de la vente.

On peut constater que les principes touchant l'intégralité de l'exploitation agricole en protègent à la fois les caractéristiques physiques et légales d'unité. Ces mesures visent aussi à protéger la rentabilité de l'exploitation agricole de façon à en prévenir un éventuel abandon. En ce sens, elles contournent les limites du zonage traditionnel qui prohibe certaines affectations et certains usages sur un territoire donné mais est impuissant à assurer la présence et l'effectivité de l'utilisation prescrite. Il faut bien noter que la Loi n'empêche pas un agriculteur de vendre son exploitation agricole si cette vente concerne l'ensemble de l'exploitation et s'effectue au bénéfice d'un seul acheteur.

La détermination des territoires d'application[1]

La Loi prévoit un processus comportant trois étapes pour la détermination des territoires d'application.

D'abord, l'initiative appartient au gouvernement qui peut, par décret, identifier comme *région agricole désignée* toute partie du territoire du Québec (art. 22). Dès lors, les principes énoncés précédemment s'appliquent dans la région agricole désignée et tout projet dérogatoire doit être soumis à l'autorisation de la Commission de protection du territoire agricole,[2] qu'il s'agisse de nouvelles utilisations du sol autres qu'agricoles, de la destruction totale ou partielle d'érablières, de prélèvement de sol arable, de lotissement ou d'aliénation impliquant le morcellement d'une propriété. La construction d'une seule résidence sur un lot vacant préalablement enregistré ne nécessite pas l'approbation de la Commission (art. 31) si la superficie utilisée à cette fin n'excède pas un demi-hectare.

Lors de la deuxième étape, le ministre de l'Agriculture prépare un plan provisoire identifiant *l'aire retenue pour fins de contrôle* à l'égard de chaque municipalité située dans une région agricole désignée (art. 34). Les restrictions qui prévalaient dans l'ensemble de la région agricole désignée ne s'appliquent alors que dans

1. Consulter à ce sujet: Jane Matthews, «La protection du territoire agricole au Québec», *Revue générale de Droit,* vol. 11, n° 1, 1980, p. 209-232.
2. Du Québec (CPTAQ).

l'aire retenue de chaque municipalité, des portions des territoires municipaux étant dès lors exclues de l'application de la Loi. De plus, la permissivité dans l'aire retenue pour fins de contrôle est plus grande qu'elle ne l'était en région agricole désignée. L'agriculteur peut en effet, sans autorisation de la Commission, construire sur son[3] lot une résidence pour lui-même, pour son enfant et son employé (art. 40). Enfin, la réalisation de nouvelles utilisations publiques du sol est alors possible (art. 41). Les dérogations aux principes s'appliquant dans l'aire retenue pour fins de contrôle nécessitent l'autorisation de la Commission.

Aux termes de la Loi, la troisième étape résulte d'une entente entre la Commission et la corporation municipale quant à la détermination de la *zone agricole* (art. 47). À défaut d'entente, la Commission prépare le plan de la zone agricole. Celui-ci requiert l'approbation du gouvernement et doit faire l'objet d'un décret (art. 50). Les principes de la Loi ne s'appliquent alors qu'à la zone agricole. Toute dérogation nécessite l'autorisation de la Commission à laquelle on peut aussi s'adresser pour demander l'exclusion en tout ou en partie d'un lot d'une zone agricole. Une personne peut aussi, sur autorisation de la Commission, faire inclure un lot en tout ou en partie dans une zone agricole.

On constate que les étapes de la détermination des territoires d'application sont conçues de façon à ne pas hypothéquer dès le départ l'importance des superficies qui seront protégées sans cependant provoquer un gel absolu des autres utilisations que l'agriculture au cours du processus de détermination des territoires protégés.

Le mandat de la Commission de protection du territoire agricole

La Loi, par l'article 3, accorde à la Commission non seulement un rôle consultatif mais aussi des pouvoirs décisionnels quant à la détermination effective des territoires touchés et par conséquent

3. Plus spécifiquement sur un lot dont il est le propriétaire et où il exerce sa principale occupation.

quant à la pertinence de l'inclusion et de l'exclusion d'un lot dans une zone agricole.

> «La Commission a trois fonctions principales à remplir. La première, celle de recommander au ministre des mesures visant à protéger le territoire agricole de la Province. La deuxième, de décider des demandes qui lui sont soumises, elle est donc investie d'un pouvoir quasi-judiciaire. La troisième d'émettre des avis relatifs à la protection du territoire agricole de la Province, plus particulièrement en relation avec la délimitation des zones agricoles.»[4]

L'énumération contenue dans l'article 3 de la Loi aborde d'abord le rôle décisionnel, ensuite le rôle consultatif, et enfin le rôle plus vaste de recommandation au ministre sur toute question relative à la protection du territoire agricole:

> «La Commission a pour fonction d'assurer la protection du territoire agricole. À cette fin, elle est chargée:
>
> a) de décider des demandes d'autorisation qui lui sont soumises en vertu de la loi relativement à l'utilisation, au lotissement ou à l'aliénation d'un lot, de même que des demandes visant à l'inclusion d'un lot dans une zone agricole ou à l'exclusion d'un lot d'une zone agricole;
>
> b) de délivrer les permis d'exploitation requis pour l'enlèvement du sol arable...;
>
> c) de délimiter, en collaboration avec la corporation municipale, la zone agricole dans une municipalité;
>
> d) d'émettre un avis sur toute autre affaire qui doit lui être référée en vertu de la loi;
>
> e) de surveiller l'application de la présente loi.
>
> La Commission donne son avis au ministre sur toute question que celui-ci lui soumet et elle peut faire à ce dernier des recommandations sur toute question relative à la protection du territoire agricole.»

---

4. Louis A. Cormier et Louis V. Sylvestre, *Loi sur la protection du territoire agricole* (commentée et annotée), p. 50.

La reconnaissance de droit acquis généraux

Les droits acquis généraux reconnus par la Loi concernent l'aliénation distincte de lots adjacents détenus par un même propriétaire, le lotissement et l'utilisation à une autre fin que l'agriculture. Une personne peut procéder à ces opérations sans l'autorisation de la Commission dans la mesure où son lot, soit était utilisé, soit faisait déjà l'objet d'un permis d'utilisation à une autre fin que l'agriculture lorsque les dispositions de la Loi ont été rendues applicables à ce lot (art. 101). La superficie bénéficiant du droit acquis est celle qui était utilisée à une autre fin que l'agriculture ou pour laquelle un permis d'utilisation à une autre fin que l'agriculture avait déjà été délivré. Plus permissive que la pratique courante du zonage traditionnel, la Loi admet que le droit acquis subsiste malgré l'interruption ou l'abandon de l'utilisation autre que l'agriculture (art. 102). La seule source possible d'extinction du droit acquis est le fait de laisser sous couverture végétale la superficie sur laquelle il porte pendant plus d'un an après que les dispositions de la Loi soient applicables (art. 102). En d'autres termes, le droit acquis persiste même s'il y a interruption prolongée ou abandon de l'utilisation autre qu'agricole aussi longtemps que le bâtiment objet du droit acquis demeure en place. Seule la disparition totale du bâtiment et le fait de laisser le terrain en friche plus d'un an éteint le droit acquis. De plus, la Loi permet l'extension de la superficie sur laquelle porte un droit acquis à l'intérieur de limites fixées par l'article 103 selon qu'il s'agit d'utilisations résidentielles ou d'utilisations commerciales, industrielles ou institutionnelles.

Les droits d'aliénation distincte de lots adjacents, de lotissement et d'utilisation à une autre fin que l'agriculture sont aussi reconnus pour fin d'utilité publique dans la mesure où le lot avait déjà été acquis, utilisé, ou avait fait l'objet d'une autorisation d'acquisition de la part du gouvernement, ses ministères ou ses mandataires ou d'une corporation municipale (art. 104).

Le droit d'aliéner séparément des lots adjacents, de lotir et d'utiliser le sol à une autre fin que l'agriculture s'applique aussi à toute personne dont la propriété est ou devient adjacente à un chemin public où les services d'aqueduc et d'égout sanitaire sont déjà autorisés pour une superficie précisée par l'article 105 dont le maximum varie pour les fins résidentielles par rapport aux fins commerciales, industrielles ou institutionnelles.

L'absence de droits acquis spécifiques au prélèvement du sol arable

Les droits acquis généraux reconnus par la Loi sont plus permissifs que ceux qu'implique le zonage traditionnel tant en ce qui concerne l'interruption ou l'abandon qu'en ce qui concerne les fins auxquelles le lot peut être utilisé et qui peuvent être ultérieurement modifiées puisque le droit acquis est obtenu sur la base d'une utilisation non agricole (effective ou permise) et non sur la base d'une utilisation spécifique. Ainsi, cette permissivité quant aux droits acquis généraux ferait en sorte que la Loi ne constituerait pas un obstacle à la transformation par exemple d'une station-service jouissant d'un droit acquis en un restaurant.[5] Cependant, la Loi est très restrictive en ce qui concerne le prélèvement de sol arable pour lequel elle n'accorde pas de droits acquis. «L'enlèvement de sol arable pour fins de vente n'étant pas une utilisation à des fins autres que l'agriculture, il ne confère jamais de droits acquis au site exploité.»[6]

En principe, on ne peut procéder à l'enlèvement du sol arable ni étendre en superficie une telle exploitation déjà commencée (art. 70). La continuation du prélèvement exige l'obtention d'un permis de la Commission (art. 71) même s'il ne s'agit que d'enlèvement du gazon pour fins de vente (tourbière) (art. 72). Le permis devient caduc s'il est transféré ou aliéné, ou si le lot ou la partie du lot visé dans le permis est transféré ou aliéné ou si l'exploitation est transférée ou aliénée en tout ou en partie (art. 76).

---

5. Le contrôle de ces usages demeure tributaire du zonage municipal, la Loi de protection du territoire agricole visant essentiellement à départager l'affectation agricole de l'ensemble des utilisations du sol.

6. Louis A. Cormier et Louis V. Sylvestre, *Loi sur la protection du territoire agricole* commentée et annotée), p. 266.

► La Loi sur l'aménagement et l'urbanisme

Adoptée à la fin de 1979, soit environ un (1) an après la Loi sur la protection du territoire agricole, la Loi sur l'aménagement et l'urbanisme (L.A.U.) s'en distingue en ce qu'elle n'est pas sectorielle: il s'agit essentiellement d'une loi décentralisatrice dont l'objet consiste à réunir et à reformuler des pouvoirs d'urbanisme antérieurement délégués selon le type de municipalité, par le Code municipal, la Loi des cités et villes, différentes chartes spéciales. Quant aux instruments d'urbanisme, la Loi innove peu sinon pour introduire un processus d'élaboration long et complexe. L'aspect novateur de la Loi se situe plutôt dans le déplacement de l'importance antérieurement accordée aux instruments vers les structures mises en place et les enjeux que ces structures doivent déterminer.

L'instance «régionale» (le nombre de ces «régions» est tel qu'il serait plus juste de parler d'instance supra-municipale), est créée sous la désignation de municipalité régionale de comté, à laquelle correspond un territoire déterminé après consultation mais regroupant une population dont le seuil minimum est pré-fixé de même que le seuil maximum de superficie couverte et un certain nombre de caractéristiques qualitatives. Le conseil de la municipalité régionale de comté (MRC) est composé du maire, et s'il y a lieu de d'autres représentants, de chaque municipalité, rurale ou urbaine, de son territoire. Le chef du conseil, c'est-à-dire le préfet, est obligatoirement élu par les membres du conseil parmi les maires qui le composent. Pratiquement, le territoire québécois est presque entièrement quadrillé par le découpage[7] des MRC, sauf dans l'extrême-nord et pour les territoires déjà déterminés par la Communauté urbaine de Montréal (C.U.M.), la Communauté urbaine de Québec (C.U.Q.) et la Communauté régionale de l'Outaouais (C.R.O.). Aux instances régionales, c'est-à-dire aux MRC, sont dévolues des obligations d'aménagement alors qu'aux instances locales, c'est-à-dire aux municipalités, même rurales, sont dévolues des obligations d'urbanisme. Les instruments, anté-

---

7. Consulter le Répertoire des municipalités régionales de comté publié par le ministère des Affaires municipales en 1982 et le Répertoire des municipalités du Québec publié annuellement par le même ministère.

rieurement facultatifs, deviennent ainsi obligatoires. Notons que les termes «aménagement» et «urbanisme» ne sont définis nulle part dans la Loi, laquelle décrit les composantes du schéma d'aménagement et du plan d'urbanisme. Les composantes de ces deux instruments nous permettent toutefois de constater que doivent être simultanément intégrés les éléments d'utilisation, tant publique que privée du sol, et les éléments de contrôle. Cette intégration ne peut résulter que d'un processus relativement sophistiqué de recherche et de concertation avec les intervenants impliqués et en particulier avec les gouvernements supérieurs.

Si l'un des objectifs visés par la Loi est d'atteindre une cohérence entre utilisation, privée et publique d'une part, et contrôle d'autre part, cet équilibre doit aussi être reflété pour l'ensemble des territoires rattachés à la MRC de même que dans tous les instruments, même spécialisés comme le zonage ou le règlement de lotissement. Aussi la Loi impose-t-elle la conformité entre les instruments soit plus précisément la conformité de chaque instrument municipal (y compris et surtout le plan d'urbanisme) aux objectifs du schéma d'aménagement et aux principes qui en découlent de même que la conformité de chaque instrument d'une municipalité à son plan d'urbanisme.[8] Il est important de noter toutefois que le principe de conformité, du moins par rapport au schéma, n'implique pas une obligation de nature strictement technique et qu'en quelque sorte, oserions-nous dire, il s'agit d'une conformité «négociable», c'est-à-dire soit présumée soit réelle. En effet, selon le degré de précision et de cohérence des dispositions contenues dans le schéma d'aménagement et dans le plan d'urbanisme, l'obligation de conformité peut ne se traduire qu'en principes à respecter et en maximum à ne pas dépasser.[9] Par exemple, une densité d'occupation plus faible ou un usage moins lourd en nuisances générées pourraient être réputés conformes aux dispositions d'un schéma d'aménagement

---

8. Cette règle n'intervient cependant pas lors d'une simple modification aux règlements d'urbanisme; la modification est réputée conforme (art. 108).
9. Les dispositions du document complémentaire accompagnant obligatoirement le schéma peuvent se rélever plus contraignantes et exiger une conformité techniquement plus stricte.

et peut-être même d'un plan d'urbanisme. De plus, c'est la MRC dont la municipalité fait partie qui émet le certificat de conformité avec, en cas de refus, possibilité de démarches plus importantes pour la municipalité. Les contours de la conformité doivent donc être discutés au niveau politique, entre élus.

Les principaux changements évoqués précédemment en termes de nouvelles structures et d'enjeux d'aménagement et d'urbanisme découlent des quatre principes sur lesquels s'appuie la Loi:

> « — l'aménagement est un acte politique; les décisions doivent être prises par les élus;
>
> — chaque niveau de gouvernement possède des responsabilités qui lui sont propres;
>
> — les gouvernements échangent leurs points de vue et procèdent à des arbitrages lorsque leurs positions respectives ne concordent pas;
>
> — les citoyens participent à l'aménagement de leur territoire.»[10]

Or, ces énoncés s'attachent à des éléments connus mais leur regroupement prend ici un sens d'affirmation ou de confirmation quand il ne s'agit pas d'un retournement de situation. Ainsi, il est évident que les décisions en matière d'aménagement non seulement doivent être prises par les élus mais le sont effectivement dans la pratique, du moins formelle. Cependant, n'en attribuions-nous pas jusqu'ici la principale raison à l'impossibilité de sous-délégation d'un pouvoir délégué aux instances régionales et locales par une législation provinciale autant qu'à la nature politique de l'aménagement? Car l'aménagement a été caractérisé par la professionnalisation et par l'appel à des techniques relevant d'une multiplicité de champs disciplinaires, principalement pour la confection globale des instruments, lesquels sont adoptés au niveau politique suite à des interactions plus ou moins importantes entre le politique et le professionnel. Les problèmes se posaient davantage jusqu'à maintenant par rapport aux *conséquences*

---

10. Patrick Kenniff, «Les récentes réformes législatives en droit municipal québécois: Bilan et perspectives d'avenir», *Revue de droit*, vol. 12, n° 1, p. 22.

politiques des aménagements privilégiés dans les instruments et étaient soit laissés en plan s'il s'agissait d'instruments globaux et généraux (schémas, plans) soit assumés et réorientés s'il s'agissait d'instruments précis (règlements de zonage, de lotissement, de construction). Ces réorientations prenaient donc la forme d'amendements adoptés par mode réglementaire. Affirmer que l'aménagement est politique par nature, c'est modifier les rapports entre professionnels et politiciens; alors que les premiers assumaient l'initiative et que les seconds réagissaient, le niveau politique, régional et local, devrait maintenant prédominer. En ce sens, le mode de fonctionnement des gouvernements locaux et régionaux se rapprochera de celui des gouvernements supérieurs.

Les deuxième et troisième énoncés concernant la distinction des responsabilités de chaque niveau de gouvernement et les arbitrages se traduisent par l'engagement du gouvernement du Québec à ne pas intervenir quant au contenu des instruments régionaux ou locaux sauf en cas de conflit avec ses propres orientations et ses propres projets dont la teneur est livrée aux instances pertinentes au début du processus d'élaboration des instruments.

Enfin, peu de commentaires peuvent être apportés jusqu'à maintenant quant à la pratique participative effective des citoyens à l'aménagement de leur territoire dans le cadre de la Loi, l'application complète de celle-ci nécessitant plusieurs années. Il convient de noter cependant que ni le conseil de la MRC ni le conseil municipal ne sont liés par les avis qui émergent de la consultation.

Le schéma d'aménagement

Le processus de confection du schéma d'aménagement implique quatre (4) étapes dont le conseil de la MRC est responsable:

— L'adoption d'une résolution d'élaboration du schéma (art. 4).

— L'adoption, par résolution, d'une proposition préliminaire d'aménagement permettant la consultation sur le contenu du schéma et la conciliation de ses objectifs avec ceux des municipalités locales.

Cette proposition préliminaire est présentée sous forme d'options d'aménagement accompagnées d'une présentation des coûts approximatifs de chacune d'entre elles (art. 12).

— L'adoption, par résolution, d'une proposition d'aménagement après réception des avis des municipalités (art. 15). Il s'agit de l'étape privilégiée pour la conciliation avec les orientations et les projets du gouvernement (art. 16).

— L'adoption, par résolution, de la version définitive du schéma d'aménagement compte tenu de la proposition d'aménagement adoptée, de l'avis du Ministre (art. 16), des avis des municipalités (art. 17 et 18). Cette résolution indique les détails de la consultation par assemblées publiques sur les divers éléments du schéma et les conséquences de son adoption.

Le schéma est ensuite adopté par règlement et entre en vigueur 90 jours après son adoption (art. 25 et 26), sous réserve de l'avis du Ministre quant au respect des orientations et des projets du gouvernement, de ses ministères et mandataires ainsi que des organismes publics (art. 27). Le Ministre (des Affaires municipales) peut demander des modifications.

Le contenu obligatoire du schéma concerne:

— les grandes orientations de l'aménagement du territoire;

— les grandes affectations du territoire;

— la délimitation de périmètres d'urbanisation;

— l'identification des zones de contraintes particulières pour des raisons de sécurité publique (zones d'inondation, d'érosion, de glissement de terrains et autres);

— l'identification des territoires présentant pour la MRC un intérêt historique, culturel, esthétique, écologique;

— l'identification, la localisation approximative et s'il y a lieu les échéanciers de réalisation des équipements et infrastructures que la MRC considère de caractère intermunicipal;

— l'identification et la localisation approximative des équipements et des infrastructures à être mis en place par le gouvernement, ses ministères et ses mandataires ainsi que par les organismes publics et les corporations scolaires;

— l'identification et la localisation approximative des réseaux majeurs d'électricité, de gaz, de télécommunications et de câblodistribution (art. 5).

Un schéma doit également comprendre un document complémentaire portant sur les normes minimales à être respectées par les règlements municipaux dans certains cas spécifiques pour des zones de contraintes particulières (art. 5). De plus, un schéma doit être accompagné d'un document indiquant les coûts approximatifs des équipements et infrastructures intermunicipaux proposés dans le schéma ainsi que d'un document précisant les modalités et les conclusions de la consultation, y compris les motifs d'accord et, le cas échéant, de désaccord exprimés par les personnes et organismes consultés (art. 7).

Malgré leur réunion dans un contenu obligatoire, ces éléments sont d'ordres divers et y apparaissent pour des raisons différentes. Ainsi, les grandes orientations de l'aménagement de la MRC devraient recouvrir les objectifs généraux et les grands principes. La dimension spatiale, encore qu'assez générale, est introduite à partir des grandes affectations pour l'ensemble du territoire de la MRC et nécessite une précision plus marquée pour la délimitation de périmètres d'urbanisation. Ceux-ci ne sont pas définis par la Loi mais un excellent document a été consacré au sujet.[11] L'introduction du problème des contraintes particulières dans le contenu obligatoire pallie à une carence déplorable et prolongée des réglementations municipales à ce sujet et à une propension des consommateurs de sols à s'installer en zones risquées pour diverses raisons telles l'ignorance, la proximité d'un cours d'eau, le panorama offert par une hauteur, l'isolement recherché, etc. Or, ces situations ont traditionnellement causé des préjudices aux occupants en plus d'impliquer des compensations financières assumées par le gouvernement. Il est donc tout à fait compréhensible qu'un document complémentaire soit exigé à ce sujet pour des situations bien précises et que les municipalités doivent en respecter les stipulations. Quant aux territoires d'intérêt historique, culturel ou autre, leur identification peut s'accompagner d'un choix pour la MRC d'en laisser la protection à chaque municipalité concernée, d'en prévoir la protection par chaque

11. Ministère des Affaires municipales, *Prévisions de la croissance et délimitation des périmètres d'urbanisation.*

municipalité, d'en assurer elle-même la mise en valeur, etc. Tous les éléments contenus au schéma concernant les équipements et infrastructures soit intermunicipaux soit gouvernementaux ou autres n'obligent absolument pas leur réalisation (art. 32). Par contre, dans la mesure où il y a implantation effective, l'instance responsable doit s'inscrire dans les indications apparaissant au schéma.

La Loi définit aussi un contenu facultatif pour un schéma d'aménagement (art. 6). Ce contenu peut être plus précis et par conséquent plus contraignant pour les municipalités locales, à l'intérieur des nuances pertinentes déjà signalées, en termes de densité, de normes générales de zones, de lotissement et de construction.

Dès son début, l'élaboration du schéma entraîne des effets, lesquels ne surviennent donc pas uniquement après l'entrée en vigueur du schéma. À compter de l'adoption de la résolution d'élaboration du schéma, et jusqu'à la délivrance du dernier certificat de conformité à l'égard de la réglementation municipale, est en vigueur (art. 61) soit le contrôle intérimaire automatique prévu à la Loi, soit le règlement de contrôle intérimaire de la MRC (art. 63). Il s'agit donc, de fait, d'un nouvel instrument, visant à protéger les possibilités d'opérationnalisation future du contenu des instruments. Le contrôle intérimaire automatique prévu par la Loi est un instrument rigoureux *interdisant*, sauf pour des fins agricoles sur des terres en culture ou pour des équipements de type réseau de services publics,

— toute nouvelle utilisation du sol ou nouvelle construction sauf pour des constructions déjà autorisées ou lorsque les trois conditions suivantes sont réunies:
  - le terrain forme déjà un ou plusieurs lots distincts;
  - les services d'aqueduc et d'égout sont déjà installés ou déjà projetés par règlement en vigueur;
  - le terrain est adjacent à une rue publique (art. 62);

— toute nouvelle opération cadastrale[12] ainsi que le morcellement d'un lot par aliénation[13] (art. 61).

Par contre, le règlement de contrôle intérimaire de la MRC peut offrir davantage de permissivité (art. 65) et sa préparation ainsi que son adoption avant l'adoption de la résolution d'élaboration du schéma peuvent permettre d'éviter complètement l'application du contrôle intérimaire automatique (art. 66 à 75). En plus de déclencher l'application d'un contrôle intérimaire, l'élaboration du schéma nécessite un échange de documents avec les instances impliquées pour chaque étape, l'information de la population, la consultation, bref un processus déterminé dont plusieurs délais sont déjà précisés et inscrits dans la Loi. Enfin, l'entrée en vigueur du schéma exige que les municipalités locales soient dotées d'instruments compatibles dans les deux ans suivants: plan d'urbanisme, règlement de zonage, règlement de lotissement, règlement de construction. Un plan d'urbanisme n'est pas exigé, mais le sont un règlement de zonage, un règlement de lotissement et un règlement de construction *pour les territoires non érigés en municipalité ou non organisés.* La responsabilité de ces instruments incombe alors à la MRC dont relèvent ces territoires (art. 76).

Les instruments municipaux

Comme le schéma d'aménagement, le plan d'urbanisme comporte un contenu obligatoire et un contenu facultatif. Le contenu obligatoire porte sur les grandes orientations pour le territoire municipal, sur les grandes affectations du sol et les densités d'occupation (art. 83). De plus, le plan d'urbanisme doit être accompagné d'une description des travaux pertinents que la municipalité entend exécuter au cours des trois années subséquentes, avec une indication de leurs coûts approximatifs. Cette description est toutefois adoptée par résolution (art. 87). L'entrée en vigueur du plan ne crée aucune obligation quant à l'échéance et aux modalités de réalisation des équipements et infrastructures qui y sont

12. À moins que l'opération cadastrale soit déjà autorisée ou que les deux conditions concernant les services d'aqueduc et d'égout et la présence d'une rue publique soient réunies.
13. À moins que ce soit nécessité par une déclaration de copropriété, par l'aliénation d'une partie de bâtiment requérant la partition du terrain ou qu'il s'agisse de permettre au gouvernement de construire une voie de circulation.

prévus (art. 101). Le plan d'urbanisme peut aussi comprendre des éléments plus précis quant à des zones à rénover, restaurer ou protéger, quant aux voies de circulation et aux réseaux de transport, quant aux équipements et infrastructures, quant aux coûts, quant aux réseaux de distribution, quant aux aires pouvant faire l'objet de programmes particuliers d'urbanisme, et même quant à un programme particulier d'urbanisme pour une partie du territoire municipal (art. 84 et art. 85).

Dans l'hypothèse de l'absence de schéma d'aménagement ou avant son entrée en vigueur, le principal effet de l'entrée en vigueur du plan d'urbanisme consiste à rendre obligatoire, dans un délai précis, l'adoption d'un règlement de zonage, d'un règlement de lotissement et d'un règlement de construction conformes ou modifiés (s'ils existaient déjà) de façon à leur assurer la conformité (art. 102). La conformité des instruments locaux doit être appliquée par rapport au plan d'urbanisme et non aux objectifs du plan; elle doit donc être assez stricte.

Par rapport au règlement de zonage, l'article 113 n'innove pas quant aux composantes d'un règlement sauf que son inscription aussi détaillée dans la Loi formalise les pouvoirs municipaux en la matière et les précise par rapport aux dispositions des textes législatifs antérieurs. De même, les pouvoirs de réglementation en matière de lotissement sont précisés (art. 115) particulièrement selon l'existence ou l'absence de desserte en infrastructure, selon diverses conditions physiques, hydriques, géotechniques, et autres. La Loi maintient le pouvoir municipal d'exiger, lors du lotissement, jusqu'à 10 % de la superficie du terrain ou 10 % de la valeur du terrain au rôle d'évaluation pour des fins de parcs ou de terrains de jeux (art. 115-8). Les tiers en général et la population résidente en particulier sont liés par les dispositions des instruments municipaux tels les règlements de zonage, de lotissement et de construction qui appliquent le schéma d'aménagement et le plan d'urbanisme plutôt que de l'être directement par ces instruments d'ordre général et global.[14]

---

14. Quant au gouvernement, il ne s'est lié, par la Loi, qu'aux objectifs du schéma d'aménagement.

La Loi prévoit des révisions systématiques et régulières tant du schéma d'aménagement par la MRC que des instruments municipaux par les instances locales.

Les difficultés posées par la Loi

L'application complète de la Loi nécessitant un délai de plusieurs années, il est difficile d'analyser maintenant l'importance des difficultés posées par son application. Par contre, il est déjà possible d'identifier des problèmes reliés aux structures, à leur légitimité et enfin aux enjeux. Or, ces problèmes touchent l'essentiel de la Loi, laquelle par rapport à la situation antérieure diminue l'importance des instruments pour accentuer celle des structures et des enjeux qu'elles déterminent.

Du point de vue des structures, le problème qui s'est posé avec le plus d'acuité est celui du découpage du territoire des MRC et par conséquent de l'appartenance de certaines municipalités locales à une MRC plutôt qu'à une autre. Ce problème risque fort de n'être jamais complètement résolu, certaines municipalités revendiquant éventuellement une nouvelle appartenance tandis que d'autres auront trouvé le découpage qui leur semble favorable. Mais dans les premières années d'application de la Loi, ce problème se double de celui de l'appartenance tant des municipalités urbaines que des municipalités rurales à la MRC dont la mission principale est d'ordre aménagiste alors que seuls les maires des municipalités rurales formaient antérieurement le conseil de comté dont les attributions étaient prévues au Code municipal.

La MRC, comme la Communauté, est une instance où la population n'est pas directement représentée. Par conséquent, elle ne bénéficie pas d'un pouvoir direct de taxation mais plutôt d'un financement qui lui est assuré par chaque municipalité locale au prorata de l'évaluation des immeubles imposables par rapport à l'ensemble de la richesse foncière dans le territoire de la MRC (art. 205). Cependant, ce financement peut découler d'une autre formule déterminée par le conseil de la MRC par règlement. Si les citoyens ne sont pas directement représentés au conseil de la MRC, ils assument quand même des coûts, par municipalité locale interposée, même si des subventions importantes sont prévues en cours d'élaboration du schéma d'aménagement. De plus, les citoyens sont soumis aux effets du schéma sur les équipements municipaux. Car si l'inscription d'équipements au schéma n'oblige pas leur réalisation, à l'inverse une réalisation nécessitant un emprunt doit d'abord être soumise pour approbation au ministre des Affaires municipales et être accompagnée d'un avis du conseil de la MRC sauf pour des travaux de réfection, de correction ou de réparation. Cet avis doit porter sur l'opportunité du règlement d'emprunt compte tenu du schéma d'aménagement (art. 46), ou des mesures de contrôle intérimaire si tel est le cas (art. 74). Bref, le problème de légitimité qui se pose est le même que pour les Communautés depuis une quinzaine d'années sauf que les pouvoirs des dites Communautés étaient, dès le départ, plus variés et que certains services «communautaires» prenaient le relais de services locaux plutôt que de les chapeauter.

Enfin, les enjeux posent simultanément le problème du «très concret / très ponctuel», et du «très flou». Car si les discussions peuvent porter sur la localisation spécifique d'un équipement ou d'une fonction, toutes les instances se posent en même temps la question: Où vont les MRC ?[15] Sont-elles appelées à demeurer surtout des instances aménagistes[16] ou seront-elles aussi des partenaires du développement économique du Québec? Il n'est donc pas évident que tous les intervenants perçoivent des enjeux du même ordre. Mais il est par contre assuré que la majorité des intervenants perçoivent l'existence d'enjeux. À tel point que des municipalités locales, surtout rurales, qui ne disposaient pas d'instruments d'urbanisme ou dont les instruments étaient plutôt sommaires, se sont hâtées de corriger cette lacune avant le début de l'élaboration du schéma d'aménagement. Ceci dans le but de disposer de documents formalisés exprimant les positions qu'elles

15. Une étude réalisée en 1985 par l'Institut Hudson pour l'Union des municipalités du Québec insiste sur le débat entourant l'évolution des structures régionales.

16. Même cette mission aménagiste peut faire l'objet de débats quant aux possibilités de dégager un nouveau partage des responsabilités entre certains ministères et les MRC par exemple en matière de gestion des terres publiques et de protection des cours d'eau.

entendent défendre en plus bien sûr de tenter de s'éviter un contrôle intérimaire trop sévère ou simplement formulé par l'ensemble du conseil de la MRC, donc par l'ensemble des maires d'autres municipalités locales. Signalons toutefois que les instances tant locales que régionales devront faire preuve d'une grande détermination pour véhiculer les enjeux identifiés. Car notre présentation de la Loi est ici très synthétique et générale. Un examen détaillé en révèle la complexité, particulièrement dans l'établissement des cheminenents, des échéances. La Loi instaure des mécanismes bureaucratiques dont il est difficile de prévoir la qualité des produits générés. De plus, plusieurs modifications[17] ont été apportées à la Loi depuis son adoption à mesure que sa complexité était testée par l'entrée en vigueur et l'application de différentes phases.

► La Loi sur la fiscalité municipale

Adoptée, comme la Loi sur l'aménagement et l'urbanisme, à la fin de 1979, la Loi sur la fiscalité municipale s'en rapproche en ce qu'elle constitue aussi une loi de décentralisation, uniformisant des pouvoirs et des modalités d'exercice, pour l'ensemble des municipalités locales, en matière d'établissement de leurs revenus. À cet égard, l'aspect novateur de la Loi est de réserver la quasi-exclusivité du champ foncier de taxation aux municipalités locales qui devaient antérieurement partager ce champ avec les commissions scolaires. Ces dernières, suite à la Loi, reçoivent leur financement du gouvernement du Québec, sauf pour certaines dépenses non-admissibles qui continuent d'être couvertes par la taxe scolaire perçue sur la base foncière jusqu'à un maximum fixé par la Loi et très peu élevé. Bénéficiant de la quasi-exclusivité du champ foncier comme champ de taxation, les municipalités

17. L'une de ces modifications porte sur la révision de la zone agricole et devrait permettre de clarifier les liens entre la protection du territoire agricole et une démarche plus globale d'aménagement du territoire. Il s'agit de voir si l'on reviendra en quelque sorte sur la priorité de fait accordée à l'affectation agricole par la chronologie de l'adoption des Lois sur la protection du territoire agricole et sur l'aménagement et l'urbanisme.

peuvent par contre de moins en moins compter sur les subventions inconditionnelles et conditionnelles du gouvernement du Québec. En ce sens, la Loi sur la fiscalité municipale préconise une plus grande autonomie financière des municipalités locales.

Par autonomie financière est entendue la capacité pour la municipalité de générer des revenus annuels principalement de sources locales, correspondant aux dépenses que représentent les services municipaux fournis, c'est-à-dire les activités municipales. De façon synthétique, les postes de dépenses se rapportent à l'administration générale (direction générale, greffe, contentieux, cour municipale, relations publiques, évaluation, etc.), à la sécurité publique (police, protection contre les incendies), au transport (travaux publics, voirie, contribution à un organisme de transport en commun), à l'hygiène du milieu (adduction d'eau, égouts, disposition des ordures), à l'urbanisme et à la mise en valeur du territoire, aux loisirs et à la culture, à des activités et dépenses diverses comprenant principalement le service de la dette (remboursement et frais d'intérêts). L'un des principes sur lesquels repose la Loi est que les citoyens doivent être conscients, comme les élus, du coût représenté par ces services selon leur niveau de sophistication et que des choix doivent être opérés selon l'effort financier auquel les contribuables peuvent consentir. En pratique, les choix sont évidemment limités par la difficulté de compresser les postes importants tels le service de la dette et la sécurité publique (l'existence obligatoire de ce service ayant été étendue aux municipalités urbaines même de relativement petite taille). Les choix possibles ont donc moins un impact immédiat qu'une valeur d'orientation pour les seuils subséquents de développement de la municipalité. Dans la mesure où ils peuvent s'exercer, les choix doivent être posés lors de la présentation du budget, c'est-à-dire avant le début d'un nouvel exercice financier. Le budget peut être défini comme un document prévisionnel des dépenses d'une année auxquelles doivent correspondre des revenus équivalents. En effet, on exige des municipalités l'application du principe de l'équilibre budgétaire. Il n'est cependant pas exclu que la réalité se traduise ensuite, l'année effectivement terminée, par un surplus ou un déficit apparaissant aux états financiers. S'il y a surplus, il peut être conservé, même pendant plusieurs années, ou il peut être appliqué à couvrir des dépenses dès l'année suivant sa réalisation. Par contre, un déficit doit être couvert par des revenus correspondants dès l'année financière suivant celle pour laquelle il est encouru. Pratiquement, il y a donc interrelation entre le budget pour une année financière, les réalités traduites aux états financiers pour cette même année, et le budget pour l'année financière subséquente. Si un surplus ou un déficit se dégage lors de l'établissement des états financiers, il représente l'écart entre les prévisions et la réalité, compte tenu de la situation d'équilibre prévue au budget. Comme la Loi vise à responsabiliser davantage les bénéficiaires des services municipaux, le principe de l'équilibre budgétaire et l'obligation de résorber tout déficit sans délai, qui lui sont bien antérieurs, sont évidemment maintenus.

Il s'agit globalement d'une Loi complexe, référant à des formules qui varient selon l'objet de leur application. La synthèse présentée ici est donc limitée aux mesures visant plus spécifiquement l'autonomie financière municipale, aux rapports de nature financière entre les municipalités et le gouvernement du Québec, ainsi qu'aux aspects reliés à l'aménagement et à l'urbanisme d'une part, et au territoire agricole d'autre part.

L'objectif principal de la Loi étant établi (l'autonomie financière municipale dans toute la mesure du possible) et le moyen privilégié étant arrêté (la quasi-exclusivité du champ foncier pour fins de taxation), l'évaluation foncière prend toute son importance puisque les revenus municipaux autonomes, dont il s'agit d'accroître la part dans l'ensemble des revenus municipaux, reposent traditionnellement en grande partie sur les revenus de taxe foncière. Notons à ce propos que le discours entourant la présentation de la Loi insiste sur la facturation des services selon leur coût dans la mesure du possible, l'instance municipale ne constituant pas un lieu de redistribution des revenus. Idéalement donc, plusieurs taxes distinctes de services pourraient être établies, la taxe foncière générant des revenus correspondant à des services dont il est difficile de répartir le coût autrement: administration générale, service de la dette, etc. Mais la taxe d'eau pourrait être établie selon la consommation, le déneigement facturé selon la longueur de frontage sur la rue, certains services impliquant un tarif fixe. Or, le discours demeure incitatif et la Loi laisse aux municipalités le choix de leurs modes d'imposition quitte à ce que l'importance de la taxe foncière dans l'imposition globale soit maintenue ou même accrue. Le revenu municipal de taxes foncières résulte du montant de l'évaluation foncière imposable auquel on applique le taux de taxation que la municipalité détermine. Déjà, la pratique de l'évaluation foncière avait fait l'objet de mesures d'homogénéisation dans une réforme législative antérieure. Une partie importante de la Loi sur la fiscalité municipale y est à nouveau consacrée pour préciser les instances exerçant des compétences en la matière d'une part et pour préciser les notions de valeur (valeur imposable, valeur réelle, valeur locative) d'autre part. La Loi insiste aussi sur le mécanisme de révision en matière d'évaluation et sur son accessibilité, particulièrement pour les petits propriétaires.

L'établissement des revenus fiscaux municipaux

Tel qu'expliqué précédemment, les revenus municipaux sont prévus au budget et leur total doit correspondre au total des dépenses budgetées. En pratique, étant donné que certains types de revenus offrent peu de flexibilité, étant peu extensibles (par exemple les revenus de services rendus à d'autres municipalités), ce sont les revenus de taxes, et plus spécifiquement de taxe foncière générale, qui permettront d'atteindre l'équilibre budgétaire. La Loi ne fixe aucun seuil, minimum ou maximum, au taux de la taxe foncière ou à celui des autres taxes et elle n'impose aucune forme privilégiée de taxation (taxe foncière versus taxes de services). Par contre, elle précise et uniformise le processus de taxation quant aux échéances, au nombre de versements pour le paiement, et aux renseignements apparaissant au compte de taxe. De plus, elle établit un taux maximum pour une seule taxe, soit la taxe d'affaires (art. 233 et 234), celle-ci ayant pour base la valeur locative des locaux abritant des activités de finance, commerce, industrie, services, métiers, art, profession (art. 232). Ce taux maximum de la taxe d'affaires est établi pour chaque municipalité selon une formule uniforme tenant compte de l'effort fiscal dans la municipalité. Si le taux ainsi obtenu dépasse 15 %, une réduction obligatoire doit être calculée selon une formule stipulée (art. 237). De plus, une réduction facultative peut être appliquée par le conseil municipal; elle ne peut cependant pas excéder le montant de la réduction obligatoire (art. 238). La réduction obligatoire, là où elle s'applique, est compensée par une participation gouvernementale (art. 260).

L'établissement des revenus municipaux autres que fiscaux

L'une des particularités les plus importantes de la Loi est de lier différents types de revenus municipaux à l'effort fiscal c'est-à-dire à l'apport des contribuables par les taxes. Même une taxe, en l'occurrence la taxe d'affaires, est liée à l'intensité de l'effort fiscal dans les autres domaines. Outre la taxe d'affaires, les sources de revenus municipaux qui varient selon l'effort des contribuables sont principalement les compensations tenant lieu de taxes et les revenus de transfert inconditionnel. Les compensations tenant lieu de taxes sont produites entre autres par les immeubles du gouvernement du Québec, par les établissements d'enseignement public et privé post-secondaire, par les établissements des commissions scolaires et de l'enseignement privé élémentaire et secondaire, par les établissements du réseau des affaires sociales. Sur demande de paiement (art. 254-1) émise par la municipalité pour de tels immeubles qui y sont établis, un taux déterminé (art. 255) par rapport à l'effort des contribuables sera appliqué à la valeur des immeubles et produira le montant de la participation gouvernementale. Quant aux transferts inconditionnels, la Loi leur confère la forme de paiements de péréquation basés, certes, sur le montant des revenus de certaines taxes ou compensations imposées par la municipalité (art. 261). Cependant, de tels paiements ne sont versés qu'aux corporations municipales dont le potentiel fiscal est inférieur à une partie du potentiel fiscal moyen des corporations municipales du Québec. Seules donc sont éligibles les municipalités dont la richesse foncière moyenne par habitant est assez largement inférieure à la moyenne pour l'ensemble des municipalités du Québec. Dans ces cas, le montant du paiement de péréquation est basé sur la différence de richesse foncière et sur le montant des revenus de certaines taxes ou compensations.

Les revenus de services rendus à d'autres municipalités dépendent des politiques locales de même que les revenus des autres services rendus (loisirs, culture, stationnements municipaux, etc.) et que les autres revenus de sources locales (revenus de placement, appropriation d'un surplus réalisé antérieurement, amendes, etc.). Quant aux revenus de transferts conditionnels, ils correspondent à la participation à des programmes gouvernementaux y donnant droit. De tels programmes sont toutefois moins nombreux qu'antérieurement.

Les dispositions concernant l'aménagement et l'urbanisme

L'esprit de la Loi est certes susceptible d'exercer un effet à long terme sur l'aménagement et l'urbanisme par la responsabilisation financière des instances locales. Depuis le début des années '70, il est de moins en moins question de faire financer un déficit, ou même des dépenses, par le gouvernement du Québec. Les municipalités doivent chercher des modes de développement qui généreront un effort fiscal conséquent de la part des contribuables et le gouvernement du Québec, ses ministères et ses mandataires se comporteront en «bons contribuables» pour leurs propres édifices et activités. De plus, le gouvernement offrira une aide sous forme de paiements de péréquation aux municipalités nettement défavorisées au plan de la richesse foncière.

L'influence plus directe et plus immédiate de la Loi sur l'aménagement et l'urbanisme porte sur deux points qui paraissent mineurs et sur un troisième, qui lui, risque d'exercer un plus grand impact. Les deux points mineurs se rapportent à l'évaluation et transcrivent dans ses principes les réalités urbanistiques nouvelles.

Ainsi, une unité d'évaluation représente le plus grand ensemble possible. L'intégralité de la propriété, protégée pour l'agriculture, et dont le maintien est exigé pendant la période de contrôle intérimaire du moins dans certains milieux, même non agricoles lors du contrôle automatique, doit être reconnue comme une réalité lors du processus d'évaluation si:

— le terrain ou le groupe de terrains appartient à un même propriétaire ou à un même groupe de propriétaires par indivis;
— les terrains sont contigus ou le seraient s'ils n'étaient pas séparés par un cours d'eau, une voie de communication ou un réseau d'utilité publique;
— dans le cas où les immeubles sont utilisés, ils le sont à une même fin prédominante;
— les immeubles ne peuvent normalement et à court terme être cédés que globalement et non par parties, compte tenu de l'utilisation la plus probable qui peut en être faite (art. 34).

De plus, la Loi reconnaît pour l'évaluation l'évolution en faveur de la copropriété en reconnaissant comme unité d'évaluation distincte inscrite au rôle au nom de son propriétaire chacune des parties faisant l'objet d'une propriété distincte si un immeuble est divisé sur le plan vertical en plusieurs parties qui n'appartiennent pas au même propriétaire, en vertu d'un acte enregistré au bureau d'enregistrement (art. 38). Outre cette disposition concernant un immeuble divisé sur le plan vertical, la Loi reconnaît que si un immeuble a fait l'objet d'une déclaration de copropriété, chacune de ses parties faisant l'objet d'une propriété divise constitue une unité d'évaluation distincte portée au rôle au nom de son propriétaire. La quote-part d'un copropriétaire dans les parties communes de l'immeuble fait partie de l'unité d'évaluation constituée par sa partie exclusive de l'immeuble (art. 41).

Mises à part ces dispositions qui constituent des ajustements de l'évaluation à des réalités récentes, la mesure la plus significative sur le plan de l'aménagement et de l'urbanisme paraît celle qui concerne la limitation de la taxe d'affaires:

— d'une part par rapport à un facteur appliqué à l'effort fiscal des contribuables;

— d'autre part par l'application d'une formule de réduction dès que le taux obtenu dépasserait 15 %; cette mesure comporte la possibilité d'une compensation mais est susceptible d'encourager la municipalité à se situer en-deça du maximum.

À cette disposition s'appliquant aux locaux abritant l'ensemble des activités d'affaires s'ajoute surtout la suppression du versement aux municipalités d'une partie de la taxe de vente au détail. Dans ces conditions, la présence de commerces dans le territoire municipal devient moins exagérément avantageuse et la vive concurrence entre les municipalités pour la présence de centres commerciaux risque d'être moins marquée.

Les dispositions concernant les fermes et les boisés

Les dispositions principales favorisant les fermes et les boisés concernent d'abord la limitation d'une part de leur valeur imposable par hectare et d'autre part du taux total de taxes foncières s'y appliquant (art. 214). La perte de revenus que représenterait cette mesure en deux volets pour les municipalités est compensée par le gouvernement pour la totalité ou pour une partie, selon les types de taxes facturées (art. 259). De plus, les producteurs agricoles bénéficient d'une remise du ministère de l'Agriculture,

— pour 70 % du montant des taxes foncières si la ferme est comprise dans une zone agricole en vertu de la Loi;

— pour 40 % du montant des taxes foncières si la ferme est située en dehors d'une région agricole désignée ou en dehors d'une zone agricole (art. 215).

Si, par contre, les conditions d'éligibilité ne sont plus remplies, le bénéficiaire est tenu à un mode de remboursement de certains avantages qui lui ont été consentis (art. 219).

Les mesures connexes

Compte tenu de l'importance accordée à l'impôt foncier dans la réforme de la fiscalité municipale et compte tenu du caractère inéquitable de cet impôt par rapport aux revenus, le gouvernement a instauré un régime de crédit d'impôt foncier par une Loi distincte. Ce régime présente la particularité de son application tant aux propriétaires qu'aux locataires, pour la quote-part de taxes foncières attribuable au logement habité et représentée dans leur loyer.

Outre cette temporisation de l'effet régressif de l'impôt foncier, une mesure connexe à la fiscalité municipale mais aussi très importante a consisté en une reformulation de la politique gouvernementale d'aide au transport en commun.

> «Dans le cadre de la réforme de la fiscalité municipale, le gouvernement apporte les modifications suivantes à son programme d'aide au transport en commun:
>
> — des subventions de fonctionnement versées en fonction des revenus générés par les services réguliers de transport en commun plutôt qu'en fonction du déficit d'exploitation;
>
> — des subventions pour fins d'immobilisations plus importantes et englobant un plus grand nombre de catégories d'immobilisations;
>
> — des subventions favorisant l'introduction ou le maintien de laissez-passer à un prix avantageux pour l'usager régulier;
>
> — une clarification de la politique d'aide gouvernementale dans des domaines tels la réalisation d'études ou de projets expérimentaux, les services hors territoire, le transport scolaire intégré et le transport adapté aux personnes handicapées.»[18]

Ici encore, on note la prépondérance du principe selon lequel la participation gouvernementale est proportionnelle à l'effort financier des bénéficiaires. Ce n'est plus l'ampleur du déficit d'exploitation qui détermine l'importance de la subvention gouvernementale mais plutôt le résultat de la fréquentation du transport en commun et des contributions des usagers. L'instance responsable, l'organisme de transport, se trouve comme l'instance municipale responsabilisée et détentrice d'une plus grande autonomie tout en assumant l'obligation pratique de conscientiser les bénéficiaires au coût que représentent les services mis à leur disposition.

---

18. Ministère des Affaires municipales, Gouvernement du Québec, *La réforme de la fiscalité municipale, information générale*, janvier 1980, p. 93.

► L'uniformisation et la souplesse

Globalement, les lois-cadres abolissent une part du laisser-faire et de l'arbitraire qui caractérisaient la gestion de l'aménagement et de l'urbanisme. Elles abolissent plus particulièrement des divergences: divergence d'intérêt porté au territoire agricole dont la planification se trouve maintenant centralisée, divergences de structures et de pouvoirs entre le monde urbain et le monde rural, divergence d'application des instruments dans un contexte autrefois facultatif. Les structures et les instruments de contrôle sont maintenant uniformisés et il en va de même pour les processus, les délais et autres.

Par contre, l'ensemble des lois-cadres introduit des divergences d'un type nouveau dont la plus remarquable concerne sans doute la spécificité de la gestion du territoire agricole par rapport à l'ensemble des territoires. Cette mesure, pour importante qu'elle soit du point de vue territorial, s'inscrit dans un train de mesures de redéploiement du secteur agro-alimentaire et dans une perspective globale d'atteinte d'un seuil aussi élevé que possible d'auto-suffisance. Les résultats observés au cours des dernières années montrent d'ailleurs des progrès très notables dans ce secteur d'activité. Au plan plus particulier du contrôle du territoire, la Loi marque l'évolution des notions: l'inauguration du contrôle de l'intégralité de la propriété d'une part, et une redéfinition de la notion de droits acquis d'autre part.

Même si l'analyse globale des résultats et des effets de la Loi sur l'aménagement et l'urbanisme ne pourra être entreprise que dans quelques années, l'application de cette Loi ne semble pas donner lieu à une uniformisation des contenus de planification physico-spatiale, ou plutôt des qualités du contenu. Après le retrait de l'essentiel des enjeux agricoles, l'entrée en vigueur de la Loi sur l'aménagement et l'urbanisme laisse place à la détermination d'enjeux spécifiques véhiculés par chaque MRC. De même, la rigueur de la démarche peut-elle varier considérablement et influencer tant le contenu de la planification physico-spatiale que la détermination des enjeux, y compris des enjeux financiers. Enfin, la notion de conformité, telle qu'esquissée dans la Loi, peut donner lieu à diverses interprétations et ne contribue pas nécessairement à une éventuelle uniformisation de son application.

Bref les lois-cadres, tout en introduisant une certaine rigidité dans la protection du territoire agricole, procurent des outils similaires à toutes les instances municipales d'une part et à toutes les instances supra-municipales d'autre part. Ces outils sont cependant suffisamment souples pour permettre la poursuite d'objectifs différents.

5

L'impact de la réforme

L'adoption des lois-cadres en 1978 et 1979 réformait considérablement l'encadrement territorial et les responsabilités du développement physico-spatial. L'ampleur de l'intervention gouvernementale en la matière se révèle comparable à celle qui a été déployée en matière linguistique ou dans le secteur de l'assurance-automobile. Or, le champ de l'encadrement territorial ne suscite sûrement pas autant de débats émotifs et passionnés dans la population que ceux de la langue et de l'assurance-automobile pour ne citer que ces exemples. De sorte que l'intervention gouvernementale n'a pas nécessairement été perçue comme spectaculaire et en ce sens n'a pas contribué de façon significative à accroître la popularité du nouveau gouvernement élu pour la première fois deux ans auparavant. Ceci n'exclut toutefois pas que le gouvernement ait visé ou ait atteint davantage un élargissement de ses assises politiques qu'une hausse de popularité.[1] Cet aspect sera examiné dans les pages suivantes. Il est cependant très délicat à traiter car le discours politique entourant l'ensemble des lois-

1. En d'autres termes, le but politique de la réforme (modification des pouvoirs, émergence de nouveaux enjeux) primait sur un hypothétique objectif électoraliste et les résultats semblent aller dans le même sens.

cadres en matière territoriale ne peut être qualifié d'explicite. En d'autres termes, pour comprendre ce qui faisait courir le gouvernement en 1978 et 1979 au chapitre de l'organisation territoriale, nous examinerons quatre (4) ordres d'effets des trois (3) lois-cadres. Les intérêts gouvernementaux ainsi mis en lumière ne seront probablement pas exhaustifs. Par contre, il est possible que les effets découverts soit débordent ce qui était effectivement recherché, soit se révèlent en perte de pertinence par rapport à une nouvelle conjoncture politique globale.

Les ordres de conséquence des lois-cadres qui feront l'objet d'un examen spécifique sont les suivants:

— l'effet sur les activités de promotion, lesquelles étaient auparavant peu encadrées et dont les limites étaient plutôt établies par le marché que par le système institutionnel;
— l'effet sur la cohésion gouvernementale même, en matière d'implantations territoriales, puisque, antérieurement aux lois-cadres, les ministères et les mandataires du gouvernement du Québec agissaient sur le territoire non seulement sans coordination dans plusieurs cas mais même aussi quelquefois dans l'ignorance des orientations ou des projets des autres ministères ou mandataires;
— l'effet sur les rapports entre le gouvernement du Québec et le milieu municipal surtout sous les angles politique et financier quand on sait que ces rapports étaient caractérisés par les revendications sinon par l'antagonisme antérieurement à l'adoption des lois-cadres;
— l'effet sur le positionnement de l'aménagement/urbanisme comme champ spécifique d'activité dans les systèmes politique, bureaucratique et professionnel au Québec.

► L'effet sur la promotion

À notre avis, les lois sur la protection du territoire agricole (LPTA) et sur l'aménagement et l'urbanisme (LAU) déterminent réellement une nouvelle conjoncture parce qu'elles modifient la répartition du pouvoir entre les municipalités et les promoteurs. Nous avions pu déjà supposer que l'évolution des problèmes urbains qui se manifestait allait placer les municipalités dans une situation suffisamment grave pour que les responsables municipaux doivent prendre conscience des difficultés financières impliquées par la croissance urbaine et de la futilité de la concurrence que se livrent les municipalités. Nous avions pu aussi émettre l'hypothèse que cette prise de conscience allait resserrer la production du cadre bâti de façon telle que, pratiquement, seuls les promoteurs importants, impliqués dans un grand nombre de municipalités, et capables d'assumer au moins en partie les coûts des infrastructures requises par la croissance, pourraient poursuivre leurs activités. Dans un tel contexte, il est évident que les décisions en rapport avec la croissance urbaine demeurent prises par les promoteurs dont la municipalité dépend pour la réalisation de ses objectifs d'utilisation du sol exprimés dans son plan d'urbanisme et concrétisés, en termes d'affectations et d'usages potentiels, dans son règlement de zonage. La LPTA et la LAU n'abolissent pas cette dépendance municipale envers les promoteurs pour la réalisation des potentialités ouvertes par les schémas et les plans. Cependant, elles modifient la répartition des pouvoirs entre les municipalités et les promoteurs en limitant spatialement les zones d'intervention accessibles à ces derniers et en constituant une complémentarité des zones planifiées par les diverses instances.

La restriction spatiale des pouvoirs municipaux

Notre intention n'est pas d'aborder la LAU dans la perspective de l'objectif de décentralisation[2] mis de l'avant par le secrétariat à l'aménagement et à la décentralisation du Ministère du Conseil exécutif. Nous nous limitons à cerner l'impact des deux lois (LPTA et LAU) sur l'urbanisme et l'aménagement du territoire en général et sur la pratique de la promotion en particulier. À ces égards, il nous apparaît clair que la Loi sur la protection du territoire agricole, principalement, et aussi la Loi sur l'aménagement et l'urbanisme limitent spatialement les pouvoirs municipaux. La Loi des cités et villes et le Code municipal donnaient aux municipalités le pouvoir de réglementer l'ensemble de leur territoire. Du point de vue de l'urbanisme, ce pouvoir incluait la confection d'un plan

2. Cet objectif de décentralisation a donné lieu à la publication de plusieurs fascicules suite à des travaux débutés en 1977.

directeur, la préparation d'un zonage et de normes de lotissement. La municipalité exerçait deux types de choix: l'un concernant la division de l'ensemble du territoire municipal en zones et l'autre concernant la définition des affectations possibles dans l'ensemble du territoire municipal et l'attribution d'une ou de multiples affectations à chaque zone.

Or, la Loi sur la protection du territoire agricole ampute les municipalités désignées par décret de l'initiative du contrôle de l'utilisation du sol pour les zones délimitées par la Commission de protection du territoire agricole, en collaboration avec elles. Dans les conditions et les territoires prescrits, une personne ne peut utiliser un lot à une fin autre que l'agriculture sans l'autorisation de la Commission, ni effectuer un lotissement. Par conséquent, la LPTA subordonne les pouvoirs municipaux en matière de décision de contrôle de l'utilisation du sol et en fait des pouvoirs résiduels quant à l'affectation.

De plus, selon la LAU, le schéma d'aménagement de la MRC doit comprendre, entre autre, la délimitation de périmètres d'urbanisation ainsi que les normes générales applicables au développement à l'extérieur des périmètres d'urbanisation. La notion de périmètre d'urbanisation n'est pas précisée dans la Loi. Elle semble signifier un périmètre choisi comme localisation prioritaire de la croissance urbaine éventuelle. L'introduction de cette notion dans la Loi ne constitue pas une amputation au territoire pour lequel la municipalité peut réglementer l'utilisation du sol. Cependant, elle crée deux types de super-zones que les municipalités devront respecter dans la mesure où elles font partie d'une MRC ayant adopté un schéma d'aménagement: zone du périmètre d'urbanisation et zone extérieure au périmètre d'urbanisation. Pour ces deux types de super-zones, la municipalité doit respecter les orientations définies dans le schéma, ce sur quoi nous élaborerons davantage ultérieurement. Il est cependant possible de voir que, par l'introduction de la notion de périmètre d'urbanisation, le pouvoir municipal de zonage et donc de division du territoire en zones est limité dans la mesure où les super-zones doivent être respectées.

Enfin, la LAU introduit aussi la notion de zone d'intervention spéciale pouvant être déclarée par décret gouvernemental (art. 158). Bien que ce type de zone comporte un caractère spécial, il constituerait, si appliqué, une amputation au territoire pour lequel la municipalité peut réglementer puisque le décret contiendrait la réglementation applicable.

Le nouveau partage des pouvoirs en matière d'utilisation du sol

Le premier jalon du nouveau partage des pouvoirs en matière d'utilisation du sol a été posé lors de l'adoption de la Loi sur la protection du territoire agricole. L'adoption de cette Loi a pour effet de décréter le territoire de la région agricole désignée et par conséquent de retirer aux municipalités leur pouvoir de réglementer l'utilisation du sol pour les portions de leur territoire qui sont désignées de façon à confier l'application de la Loi à la Commission de protection du territoire agricole. Ce faisant, le gouvernement confirme considérer que la protection d'espaces réservés à l'agriculture est un droit collectif des Québécois qui ne doit plus dépendre uniquement de la bonne volonté des municipalités étant donné que ce droit est reconnu à l'ensemble des citoyens. Le gouvernement pose donc l'agriculture comme un secteur d'activité, certes assumé par le secteur privé, mais produisant des biens qui doivent être accessibles à toute la population du Québec au même titre que l'éducation et les services de santé et de bien-être.

Le deuxième jalon est plus général puisqu'il concerne l'ensemble du territoire québécois et l'ensemble de la question de l'aménagement et de l'urbanisme. Il a été posé lors de l'adoption de la Loi sur l'aménagement et l'urbanisme. Si la Loi sur la protection du territoire agricole entraîne la restriction des pouvoirs municipaux, surtout spatialement, la Loi sur l'aménagement et l'urbanisme favorise par contre l'imbrication des pouvoirs et des instruments de façon à ce que chacun de ceux-ci soit appuyé sur un autre instrument ou sur des politiques globales.

C'est ainsi que les instruments municipaux (plan d'urbanisme, règlements de zonage, de lotissement, et de construction) doivent respecter les orientations prévues par le schéma d'aménagement de la municipalité régionale de comté. Les MRC sont tenues d'entreprendre l'élaboration d'un schéma d'aménagement dans les trois ans de l'entrée en vigueur de la Loi. Les composantes du schéma sont précisées selon qu'elles sont obligatoires ou facultatives. Sur réception d'une proposition d'aménagement, le Ministre[3] indique à la municipalité régionale de comté ce sur quoi le schéma doit s'appuyer: les orientations prévues par le gouvernement pour la région; les projets gouvernementaux d'équipements et d'infrastructures; le cas échéant, les objections du gouvernement à l'égard de la proposition d'aménagement retenue. Le Ministre peut demander au conseil de la MRC de modifier le schéma d'aménagement adopté s'il estime que celui-ci ne respecte pas les orientations du gouvernement. À la limite, le gouvernement peut lui-même, par décret, modifier le schéma pour le rendre conforme à ses orientations. Après l'adoption d'un schéma, la municipalité régionale de comté est tenue d'adopter des règlements de zonage, de lotissement et de construction à l'égard des territoires du comté non érigés en municipalité ou non organisés. Quant aux municipalités, elles doivent adopter un plan d'urbanisme et les divers règlements énumérés ci-dessus ou elles sont tenues de modifier ceux qui sont déjà en vigueur de façon à se conformer aux objectifs du schéma d'aménagement et aux dispositions du document complémentaire de la MRC. Le plan d'urbanisme, comme le schéma d'aménagement, compte des composantes obligatoires ainsi que des composantes facultatives. Par ailleurs, les composantes des différents règlements (zonage, lotissement, construction) sont facultatives mais requises si les dispositions du document complémentaire le précisent.

En plus d'être une structure décisionnelle par rapport au schéma d'aménagement, la municipalité régionale de comté apparaît, dans la Loi, comme une structure de liaison entre le gouvernement d'une part et les municipalités d'autre part. Elle élabore avec le gouvernement les grandes orientations de l'amé-

3. Il existe maintenant une direction générale des orientations gouvernementales en aménagement au ministère des Affaires municipales.

nagement de son comté. Elle les traduit aussi en règlements dans les territoires non organisés ou non érigés en municipalités. La conformité des initiatives municipales en matière d'urbanisme aux orientations contenues dans le schéma d'aménagement est vérifiée par la municipalité régionale de comté. La Loi distingue nettement aménagement et urbanisme sous l'angle des pratiques sans toutefois définir les concepts. L'aménagement y apparaît exclusivement réservé au gouvernement et aux municipalités régionales de comté alors que l'urbanisme s'y révèle comme une pratique municipale exercée sous «surveillance».

Dans sa perspective aménagiste, le rôle du gouvernement est important puisque, par certaines décisions d'équipements et d'infrastructure, il contribue à la détermination de l'aménagement des régions. Selon la Loi, le ministre responsable de son application doit agir comme coordonnateur entre les divers ministères et mandataires du gouvernement et la municipalité régionale de comté afin de faire connaître à cette dernière les intentions du gouvernement. Le ministre responsable assume aussi un rôle coercitif puisque les municipalités régionales de comté doivent préparer un schéma d'aménagement et qu'il est possible que des modifications y soient exigées, dans la mesure où le gouvernement projette de nouvelles interventions non conformes au schéma adopté. Le Ministre a aussi le pouvoir de désavouer un règlement de contrôle intérimaire[4] adopté par le conseil de la MRC. Enfin, le gouvernement peut décréter des zones d'intervention spéciale pour lesquelles il a le pouvoir de réglementer.

En résumé, la Loi ne diminue nullement l'impact que le gouvernement peut exercer, par ses équipements et infrastructures, sur l'aménagement du territoire. Par contre, il instaure une structure, la municipalité régionale de comté, qui sera l'interlocutrice du gouvernement pour la planification des effets des projets gouvernementaux quant à l'aménagement du territoire.

Si les municipalités sont tenues de conformer leurs instruments aux orientations du schéma d'aménagement, elles parti-

---

4. ou un règlement le modifiant.

cipent cependant collectivement à la structure, soit la municipalité régionale de comté, et elles peuvent soumettre individuellement leur avis quant à la proposition préliminaire et à la version définitive du schéma d'aménagement.

Les restrictions affectant les transactions et le lotissement

Nous avons analysé précédemment de quelle façon les transactions et le lotissement constituent des éléments déterminants de l'utilisation du sol subséquente. La seule éventualité de transactions est suffisante dans plusieurs cas pour provoquer une déstabilisation des utilisations du sol existantes soit par exemple un abandon de l'usage agricole ou résidentiel, soit une démolition du cadre bâti existant à la faveur d'un terrain de stationnement en milieu urbain. De plus, l'utilisation du sol subséquente varie selon les acteurs de transactions en cause et les milieux avec lesquels leurs contacts sont établis. Enfin, le lotissement est aussi déterminant puisque la dimension et la configuration des lots limitent les possibilités de choix de l'utilisation du sol. Le lotissement, de même que la transaction, modifie aussi le prix du sol de façon telle qu'il y aura recherche d'une rentabilisation maximale lors de la détermination ultérieure de l'utilisation du sol.

La formulation des lois-cadres tient compte de la menace que présentent ces éléments lorsque non contrôlés pour la protection du territoire agricole et pour la planification du territoire en général. Les LPTA et LAU comportent toutes deux des stipulations quant au lotissement et aux transactions impliquant le fractionnement de propriétés.

Les nouvelles conditions d'exercice de la promotion

La Loi sur la protection du territoire agricole et la Loi sur l'aménagement et l'urbanisme modifient fondamentalement les conditions d'exercice de la promotion en intervenant principalement en matière de disponibilité du sol et en matière de pouvoir municipal.

1. La réduction des ressources en sol-support

La Loi sur la protection du territoire agricole est particulièrement déterminante pour l'exercice de la promotion puisqu'elle réduit considérablement les ressources en sol-support pour les promoteurs. Il y est stipulé en effet que, dans une région agricole désignée, une personne ne peut, sans l'autorisation de la Commission de protection du territoire agricole, utiliser un lot à une autre fin que l'agriculture. Or, la région désignée, dans un premier temps, correspondait à la vallée du St-Laurent et incluait les centres urbains les plus importants du Québec ainsi que leurs banlieues (à l'exception des villes de l'île de Montréal et de Québec). Même après les phases suivantes comportant une plus grande permissivité, les ressources en sol-support ont été considérablement réduites. En outre, la Loi sur l'aménagement et l'urbanisme confère aux municipalités régionales de comté l'obligation de déterminer, à l'intérieur de leur schéma d'aménagement, un périmètre d'urbanisation. Étant donné que les instruments municipaux d'urbanisme doivent être conformes au schéma d'aménagement du comté, la notion de périmètre d'urbanisation y sera concrétisée. C'est dire que l'espace disponible pour la promotion, particulièrement résidentielle, sera d'une part réduit à cause de la LPTA et d'autre part assez strictement localisé à l'intérieur des périmètres d'urbanisation.

2. L'affirmation du pouvoir municipal

À notre avis, la restriction spatiale des pouvoirs municipaux ne constitue pas une diminution du pouvoir municipal par rapport à la promotion, mais implique au contraire son affirmation. En effet, la soustraction de la zone agricole à l'initiative de la municipalité de déterminer l'affectation du sol confère plus d'importance au périmètre d'urbanisation délimité en premier lieu dans le schéma d'aménagement de la MRC et repris par les instruments municipaux. De plus, la Loi sur l'aménagement et l'urbanisme permet d'appuyer les instruments municipaux sur un instrument plus global, non seulement en terme territorial mais aussi en terme de contenu, soit le schéma d'aménagement de la MRC. Cet appui vient, à notre avis, renforcer les instruments municipaux et modifier profondément la dynamique de leur application. Jusqu'à maintenant, la municipalité était relativement dépendante des acteurs urbains en général et des promoteurs en particulier pour la réalisation du potentiel d'utilisation du sol ouvert par sa réglementation. Elle était donc fortement tentée de modifier ses règlements de façon satisfaisante pour les promoteurs et d'assurer ainsi la croissance urbaine. Dans la mesure cependant où les instruments municipaux pourraient s'appuyer sur un instrument plus global que les responsables municipaux auraient contribué à élaborer comme le schéma d'aménagement du comté, l'impact des instruments municipaux deviendrait beaucoup plus important. Les lois-cadres amorcent donc un nouvel équilibre entre les municipalités et les promoteurs. Alors que le rapport des forces était auparavant favorable aux promoteurs, ce nouvel équilibre qui s'amorce limite spatialement l'action des promoteurs en plus de la définir qualitativement par des règlements municipaux moins flexibles, reliés, par le schéma d'aménagement et le plan d'urbanisme, non seulement à la dimension du contrôle mais aussi à celle de l'utilisation publique et de ses effets structurants.

► L'effet sur la cohésion gouvernementale

Au moment de son adoption, la réforme constituait un moyen de renforcer la cohésion gouvernementale à moyen et à long terme aussi bien au plan politique qu'au plan institutionnel. Le degré de recherche de cet objectif au plan politique paraît difficile à cerner de l'extérieur de la machine gouvernementale puisque gommé du discours. Néanmoins, la dimension territoriale ne pouvait que s'incorporer à l'un des deux pôles de la politique gouvernementale, l'affirmation nationale, l'autre pôle étant la social-démocratie. Au niveau institutionnel, il s'agissait d'ajouter l'impact sur le territoire comme élément commun de culture dans des ministères, organismes et sociétés qui se percevaient jusque là autant sous l'angle de la concurrence que sous celui de la collaboration.

L'impact sur le territoire devenait donc l'une des bases du dialogue interministériel et interorganisationnel. Les quelques réticences sectorielles perceptibles de l'extérieur de l'appareil ont justement démontré l'opportunité d'une réforme tant sous l'angle politique que sous l'angle institutionnel pour permettre au gouvernement d'étendre ses champs d'intervention et d'élargir ses assises en référence à une base idéologique progressivement intégrée par l'appareil.

«Aménager l'avenir»[5]

Le document ainsi titré apparaît comme le produit, après quelques années de labeur, d'un consensus gouvernemental minimal en matière d'aménagement. Ce genre de catalogue de positions et d'orientations semble s'adresser autant aux structures gouvernementales elles-mêmes qu'à d'autres interlocuteurs bien que son mérite pour le lecteur non spécialisé ou même non initié soit de synthétiser l'essence de l'aménagement gouvernemental en un minimum de pages de lecture très abordable.

Le contenu bigarré de ce document témoigne de l'intensité des efforts qui ont dû être consentis pour atteindre le minimum de cohésion recherché et de la nécessité d'en faire état devant l'ensemble de la structure gouvernementale pour entraîner davantage dans le mouvement. Aux autres lecteurs, il est bien précisé que «Aménager l'avenir» est un document de portée générale quant aux orientations du Gouvernement en matière d'aménagement du territoire et qu'à ce titre il se distingue des documents et avis, plus spécifiques, que le gouvernement transmettra à chacune des MRC.

Avant d'en arriver aux orientations générales et aux positions des différents ministères, la démarche de présentation, ambiguë, témoigne de la difficulté de situer l'aménagement tant comme champ d'étude et de recherche que comme champ d'intervention et de pratique. «L'aménagement est l'inscription sur le territoire

5. Document préparé par le Secrétariat à l'aménagement et à la décentralisation avec la collaboration des ministères et organismes concernés, Gouvernement du Québec, 1983.

des diverses formes de développement économique, social, culturel et technologique. Il est le fait de nombreux intervenants publics ou privés dont les décisions ne sont pas nécessairement ou systématiquement cohérentes.»[6] Le processus visant en principe l'harmonisation de ces décisions n'est pas nécessairement cohérent non plus (même si ce n'est pas admis explicitement dans le document); il passe tant par les réglementations municipales que par les législations et réglementations sectorielles administrées par les ministères et par les organismes gouvernementaux. Il paraît très significatif qu'un document officiel mette en rapport (page 7) un objectif d'harmonisation et des moyens uniquement législatifs et réglementaires. En fait, la préoccupation législative et réglementaire paraît hypertrophiée dans tous les secteurs de l'activité gouvernementale et non pas seulement en matière d'aménagement et il semble que les consensus de contenu, si difficiles à obtenir politiquement et institutionnellement, donnent lieu par la suite à un consensus plus solide quant aux moyens de mise en oeuvre. La réforme gouvernementale est ici essentiellement rattachée à la Loi sur l'aménagement et l'urbanisme, laquelle rend possible une démarche visant à pondérer et à réconcilier des grands objectifs:

> «— un objectif de croissance et de développement de l'activité économique;
> — un objectif d'équité sociale;
> — un objectif d'amélioration de la qualité de la vie;
> — un objectif de préservation des milieux naturels et de l'environnement.»[7]

Suite à l'énoncé de ces objectifs qui constituent, en principe, la base idéologique de la cohésion gouvernementale, et après différentes catégorisations des interventions gouvernementales factuelles, on trouve l'énoncé des orientations générales impli-

6. *Aménager l'avenir,* p. 7.

7. *Aménager l'avenir,* p. 7.

quant le gouvernement dans son ensemble et les ministères concernés par chacune en particulier:

— consolidation du tissu urbain et plus grande satisfaction des besoins en matière d'aménagement;
— amélioration en priorité du transport en commun;
— accessibilité aux loisirs et aux espaces verts;
— appui au développement des régions;
— revitalisation des centres-villes;
— option préférable d'aménagement de la région métropolitaine de Montréal;
— etc.

La suite du document, qui constitue la partie quantitativement la plus importante, est consacrée à différents ministères et organismes (présentation de leur structure, du mode d'implantation sur le territoire et des orientations en matière d'aménagement). Bien que l'on puisse s'attendre à des références assez précises aux objectifs et aux orientations énoncés au début du document, leur apparition est variable selon les ministères malgré des efforts évidents pour présenter les mêmes types d'éléments. Encore est-il étonnant pour ne citer que cet exemple, que le ministère des Affaires sociales réfère à son réseau d'établissements tant publics que privés alors que les institutions privées n'apparaissent nulle part dans la présentation du ministère de l'Éducation. Bref, l'effort pour obtenir un consensus minimal non seulement au plan idéologique mais aussi au plan opérationnel est méritoire sans atteindre encore au succès. Au moins une première conscientisation et une première soudure, portant sur l'acceptation de l'aménagement comme préoccupation, sont-elles opérées.

Pour les ministères et les organismes directement impliqués dans la réforme de l'organisation territoriale, les indications de politiques déjà en vigueur ou projetées se font beaucoup plus précises. On trouve par exemple dans «Aménager l'avenir» les éléments de la politique touchant la réorganisation du transport par taxi (ministère des Transports), et même les règles administratives appliquées pour l'approbation des règlements d'emprunt municipaux (ministère des Affaires municipales). De plus, l'orientation favorisant l'appui au développement des régions est présentée de façon à annoncer la proposition de politique régionale ensuite articulée dans «Le choix des régions»,[8] document dont il sera question ultérieurement.

Accessoirement au but de cohésion interne, «Aménager l'avenir» peut servir d'autres objectifs. Ce catalogue d'interventions et de politiques territoriales constitue une des formes de l'intense effort publicitaire gouvernemental. Il est aussi susceptible de donner le «la» des orientations que les MRC doivent développer pour leurs schémas: consolidation du tissu urbain existant, amélioration du logement, amélioration du transport en commun, accessibilité aux loisirs et aux espaces verts, etc. Évidemment, l'effort publicitaire en partie soutenu par le document est en partie aussi rendu rapidement désuet par la frénésie des modifications législatives et des modifications de structures qui anime constamment le gouvernement. Par exemple, on trouve nulle mention dans le document de la Société immobilière du Québec, créée après la publication; de même le ministère de l'Industrie, du Commerce et du Tourisme mentionné au document fut scindé ultérieurement.

► L'effet sur les rapports entre le gouvernement du Québec et le milieu municipal

Les rapports entre le gouvernement du Québec et le milieu municipal ont été marqués, au moins depuis la Révolution tranquille et même, dans une certaine mesure, avant cette période, par les antagonismes et par les revendications. Les antagonismes se sont développés surtout au plan politique par la neutralité sinon par la résistance des politiciens locaux par rapport aux politiques nationales québécoises. Quant aux revendications du milieu municipal, elles ont porté surtout sur le financement et sur l'implantation de différents équipements (de même que sur les

8. *Le choix des régions*, document de consultation sur le développement des régions, Québec, 1983.

objections à l'implantation d'autres équipements, par exemple les lignes de transport d'énergie électrique dont les citoyens admettaient la nécessité tout en s'objectant à leur présence sur leur territoire).

Dans ce contexte, la réforme de l'organisation territoriale adoptée en 1978 et 1979 apparaît correspondre à une stratégie québécoise visant à circonscrire les inévitables conflits et revendications au processus d'élaboration des schémas tout en suscitant non seulement l'adhésion municipale aux compromis élaborés mais aussi la défense de ces positions de compromis face aux deux niveaux d'intervenants dont tout gouvernement provincial québécois a tout à craindre: d'une part le gouvernement fédéral avec lequel le problème constitutionnel se perpétue et se manifeste dans tous les secteurs, et d'autre part la population en général et les groupes d'intérêts et de pression en particulier de qui dépend l'issue de toute élection éventuelle. Bref, il s'agissait de transformer sinon l'ennemie du moins la réticente instance locale en compagne de route quitte à accepter des compromis qui n'en sont pas vraiment dans tous les cas mais qui flattent l'orgueil local baptisé «sens de l'autonomie» pour les besoins de la cause. La gestion du territoire agricole étant à peu près retirée aux municipalités, les compromis acceptés par le gouvernement du Québec concernent d'une part le financement local et d'autre part les équipements dont il sera question dans chaque schéma d'aménagement. Pour le financement, la formule est d'ores et déjà inscrite dans la Loi et en application: les municipalités n'ont plus à supplier Québec de financer des projets ad hoc puisque les formules de financement retenues sont présentées comme un droit des collectivités locales. Il ne faut cependant pas oublier que des sources antérieures de financement ont disparu (dont la redistribution d'une partie de la taxe de vente). Par contre, globalement, il est vrai que le gouvernement du Québec a accepté une charge financière en transférant le champ d'impôt foncier presque dans son exclusivité aux municipalités et en assumant la part dont les commissions scolaires bénéficiaient; de sorte que l'on peut parler de concessions en matière de financement. Par contre, pour les équipements dont la confection des schémas appelle l'examen, il est clair que les ministères et autres organismes disposent de leurs propres outils prévisionnels de besoins et que si concessions gouvernementales il y a, ce sera dans le sens de la présence minimale d'un équipement de type particulier dans chaque MRC. De plus, l'inscription d'un projet d'équipement au schéma crée certes une pression morale mais n'entraîne aucune obligation juridique quant à sa réalisation effective. En résumé, il n'y a eu aucune concession spectaculaire du gouvernement du Québec entre 1979 et aujourd'hui et il n'y a pas lieu d'en prévoir pour l'instant. Du point de vue stratégique, l'habileté dans la réforme réside bien moins dans le contenu des concessions que dans le choix des bénéficiaires: il s'agit de concéder au palier local et supramunicipal aux moments de l'adoption de la Loi sur la fiscalité et de l'élaboration du schéma plutôt qu'à divers groupes de pression en plusieurs temps au rythme de différentes crises. Bref, la réforme vise à permettre aux élus locaux de sauver la face en précisant leurs champs décisionnels ou leur participation à divers de ces champs.

L'insistance du gouvernement du Québec à protéger l'exclusivité de sa compétence sur les institutions municipales, et sa compétence sur les ouvrages locaux, sur la propriété et les droits civils a été confirmée encore après la réforme de 1978 et 1979. Ainsi, en 1982, le ministre des Affaires municipales écrivait aux élus locaux sur ce thème qu'il reprenait en conférence de presse au début de 1983. À l'été 1983 paraissait un document spécial à ce sujet dans un numéro régulier de la revue *Municipalité*.[9] Dans ce document, on s'appuie d'abord sur l'ampleur de la réforme. «Les réformes fondamentales qui s'étaient faites dans les secteurs de l'éducation et des affaires sociales pendant la révolution tranquille ont connu récemment leur équivalent dans le secteur municipal.»[10] Et, dans un deuxième temps, sont présentées des positions devenues inattaquables qui constituent des pressions morales susceptibles de pallier au fait que le gouvernement

9. Ministère des Affaires municipales, «Les interventions fédérales directes auprès des municipalités du Québec, *Municipalité*, juin-juillet 1983, pages 11-21.
10. op. cit., p. 14.

fédéral n'est pas lié par des lois provinciales en général et par les Lois québécoises sur la fiscalité d'une part et sur l'aménagement et l'urbanisme d'autre part, en particulier:

- —puisque, par la réforme de la fiscalité municipale, le gouvernement du Québec consent, pour ses propres édifices et ceux de ses ministères et mandataires, à assumer un fardeau fiscal correspondant à celui qu'assument les contribuables de la municipalité, il relèverait de l'équité la plus fondamentale que le gouvernement fédéral en fasse autant;
- —le gouvernement fédéral disposant de sommes versées en impôts par les Québécois, il serait normal qu'il contribue au développement local; non pas sous forme de subventions discrétionnaires mais plutôt selon une formule devant faire l'objet d'une entente spécifique.

Évidemment, les instances locales ne peuvent se dissocier d'une revendication porteuse d'un espoir de revenu additionnel. Elles ne peuvent non plus, par trop de tergiversations quant à la deuxième position, compromettre dès le départ le long processus de négociations avec le gouvernement québécois au sujet de l'aménagement et des projets d'équipements collectifs. Et donc, effectivement le document précédemment cité se termine par les prises de position dans ce débat de l'Union des municipalités du Québec et de l'Union des municipalités régionales de comté et des municipalités locales du Québec. Ces prises de position vont dans le sens d'un rejet de toute intervention unilatérale d'Ottawa et dans celui d'une concertation fédérale/provinciale, afin de ne pas priver les citoyens de l'aide financière fédérale aux municipalités et de leur permettre au contraire de bénéficier du produit de leurs impôts. Comme un milieu aussi diversifié que celui des élus locaux ne saurait toujours faire concorder tous ses actes avec le discours officiel, le dialogue d'élus à élus (municipaux et fédéraux) ne saurait être exclu comme devraient l'être les discussions d'institution à institution. De là à créer des sociétés distinctes pour accepter spécifiquement la manne fédérale et mettre des équipements à la disposition de la municipalité, il n'y a qu'un pas qui a pu être franchi en certaines circonstances et en certains lieux.[11] Il est cependant clair que ces situations sont de plus en plus embarrassantes pour les municipalités concernées.

En outre, la réduction du dialogue fédéral/municipal à l'intermittence et à la ponctualité plutôt que sa continuité permettra au gouvernement du Québec, éventuellement, de réduire le rythme de sa course à la visibilité de grands projets dans laquelle il s'est engagé avec Ottawa depuis les années '60. La conjoncture économique la favorisant moins, la guerre des méga-projets et des panneaux à la gloire du subventionnaire risquait de toute façon sinon l'extinction du moins une modestie jusque là peu fréquente. De préférence à l'apparence d'une acceptation passive de la triste conjoncture, l'affirmation d'une volonté de rationalisation et de respect des priorités locales mérite un traitement législatif et institutionnel. En fait, même les cas extrêmes apparaîtraient moins tragiques après la réforme de 1978-79. Ainsi, même si une conjoncture encore plus défavorable obligeait le gouvernement du Québec à de nouvelles restrictions quant à ses projets, il aurait pu faire la preuve formelle de sa bonne volonté, dont témoignerait le schéma d'aménagement, sans pour autant être lié formellement quant à la réalisation. Bien sûr, il serait soumis à des pressions mais dont la limite est vite établie par l'éventualité de toute nouvelle hausse d'impôts dont les citoyens sont de plus en plus conscients.

Si la réforme de l'organisation territoriale favorise le dialogue municipal/provincial et risque d'en éloigner le fédéral sinon pour se soumettre au moins partiellement aux positions élaborées, elle risque aussi d'ajouter une faille à l'harmonie relative entre les citoyens et l'instance municipale. Il pourrait même y avoir affaiblissement de la crédibilité des politiciens locaux non seulement après l'adoption du schéma de la MRC mais même au cours des étapes précédentes. Ici, il y a probablement un parallèle à établir avec l'organisation syndicale. Même si des sondages récents montrent un certain intérêt pour la syndicalisation chez des

11. Consulter particulièrement André Bouthillier, «Les $ 200 millions du Fonds LaPrade», *Le Devoir*, mardi le 14 août 1984 et jours suivants. Il y est affirmé qu'un grand nombre de municipalités, même à 150 km de Bécancour, ont reçu des subventions pour divers projets de construction ou de rénovation.

groupes de cadres intermédiaires non syndiqués, la crédibilité de la «nomenklatura» syndicale n'apparaît pas à la hausse parmi les syndiqués (ni dans la population en général mais il s'agit là d'une autre histoire). C'est, entre autres, que dès le début de la négociation de la convention collective, les dirigeants syndicaux doivent encadrer, limiter et consolider la multiplicité des revendications qui leur parviennent de sorte que le projet-synthèse résulte déjà d'une série de compromis plus ou moins satisfaisants pour chaque membre en particulier.[12] À cet aspect s'ajoute le risque d'incompréhension ou de désaccord quant à la stratégie de négociation. Enfin, lors de la présentation aux membres d'un accord de principe pour ratification, les explications devront tenir compte de la position patronale et alors interviendra possiblement chez des membres une identification plus ou moins consciente et plus ou moins complète de la position des dirigeants syndicaux à la position patronale. Après l'entrée en vigueur de la nouvelle convention collective, le syndicat devra en défendre l'application aussi loyalement que si elle avait été conçue par lui seul alors qu'il n'a que collaboré à sa formulation. Mais justement parce qu'ils y ont collaboré, les dirigeants syndicaux sont tenus à la défense morale du produit sous peine de mettre en doute leur propre travail. La longue et parfois pénible expérience syndicale risque d'être transposée assez similairement dans le domaine qui fait l'objet de notre propos. Il pourrait bien arriver que suite à une négociation et à l'inscription de l'installation par exemple d'une ligne de transport d'énergie électrique, on voit, le moment de la réalisation venu, des maires défendre les projets d'Hydro-Québec devant leurs propres citoyens pour ne pas renier leur participation à la planification effectuée quelques temps auparavant. Ce serait un retournement par rapport à la situation actuelle où l'on voit fréquemment des élus houspiller, de concert avec leurs citoyens, le ministre de la Justice (à cause de l'implantation d'une prison provinciale), ou celui des Affaires sociales (à cause de l'implantation de centres alternatifs), ou Hydro-Québec. Ce retournement

12. Ce processus contribue, avec bien d'autres aspects d'ailleurs, à la perception du syndicalisme en tant que victime de la tentation bureaucratique. Le tout est analysé savamment par François de Closets dans *Tous ensemble*, Paris, Seuil, 1985.

serait probablement à la faveur de la planification et de l'intérêt collectif mais il ne hausserait pas nécessairement la cote de popularité des élus locaux.

Or, la position de ces élus locaux est d'autant plus délicate que la situation organisationnelle et financière leur laisse une marge de manoeuvre fort mince dans leur prise de décision. En effet, le contexte organisationnel est tissé de la même ambiguïté que celle qui caractérise le fonctionnement des Communautés (et qui a empêché depuis une quinzaine d'années la C.U.M. de prendre un véritable essor en matière d'aménagement). Cette ambiguïté est celle de la représentation au conseil de la MRC responsable du schéma d'aménagement. Le conseil de la MRC n'est certes pas étranger à chaque municipalité puisqu'il est composé d'au moins un représentant de chacune. Il n'est pas automatiquement non plus, de par sa structure, un opposant qui impose ses volontés. Au contraire, chaque municipalité semble assurée au moins d'une voix bienveillante, en l'occurrence la sienne. Mais là justement se pose le problème de l'essor à donner aux orientations d'aménagement. Car l'un des choix de fonctionnement politique consiste à concevoir le conseil comme une instance de mise en forme collective d'une agrégation de projets particuliers. Alors le fonctionnement politique harmonieux pourra être considéré comme satisfaisant sans que l'aménagement bénéficie pour autant de choix audacieux et d'un véritable essor mais prenne plutôt place à titre de mosaïque d'interventions projetées. À l'autre extrême, un conseil de MRC très volontariste élaborerait des projets et effectuerait des arbitrages en accordant la priorité absolue au développement régional de comté. Sauf qu'alors peuvent se développer des résistances au sein même du conseil de la MRC. De plus, chacun des membres du conseil est aussi et d'abord membre d'un conseil municipal et n'est élu que par la population locale. C'est donc devant cette population qu'il est responsable en premier lieu et il peut difficilement assumer le risque de justifier des comportements dérogeant aux intérêts de ses électeurs. De toute façon, le principe de la représentation indirecte au conseil de la MRC fait en sorte que l'élu qui y siège et par extension les autres élus municipaux risquent gros: d'un côté une majorité d'observateurs de la scène régionale peut être satisfaite du climat d'entente mais des groupes de pressions peuvent estimer que la perspective aménagiste ne va pas assez loin; d'un autre côté, la population locale peut ressentir une trahison au bénéfice de l'ensemble de la région. À mi-chemin, les citoyens peuvent avoir l'impression qu'il se réalise peu de choses et que leurs élus ne s'impliquent pas suffisamment. Les politiciens peuvent presque en venir à choisir entre soit faire le moins de vagues possible en espérant qu'une majorité de citoyens en oublie presque (ou ignore presque) l'existence de l'instance régionale, soit élaborer de savantes stratégies pour arriver à présenter sinon une concordance du moins une apparence de concordance entre le programme politique pour la localité et le programme politique pour la région de comté. Une hypothèse comme l'autre exige un effort d'adaptation considérable de la part de nombre de politiciens locaux: leur style traditionnellement coloré rend difficile l'absence de vagues et tant le programme électoral que les stratégies sont généralement simples.

En plus d'être en quelque sorte coincés par des problèmes de représentativité et de légitimité vis-à-vis des populations locales et régionales, les élus devront considérer des enjeux financiers qui ne manqueront pas de prendre une importance croissante. En effet, les modes actuels de financement ne prévoient aucun partage inter-municipal (même à l'intérieur d'une MRC) de la richesse foncière et donc de l'assiette fiscale; au contraire, l'autonomie financière particulière est mise de l'avant. Dans ce contexte, à moins d'entente spécifique au sujet d'une infrastructure ou d'un équipement inter-municipal (par exemple un parc industriel), l'un des enjeux de la planification devient la localisation des édifices gouvernementaux et la détermination des périmètres d'urbanisation. En principe, on pourrait s'attendre à ce que la consolidation du tissu urbain soit retenue dans les documents de planification et que la croissance serve prioritairement à rentabiliser les équipements existants. Sauf que si cette hypothèse était effectivement l'objet d'une application rigoureuse, certaines municipalités bénéficieraient d'une plus grande part de la croissance éventuelle que d'autres municipalités de la même MRC. Or, elles récolteraient parallèlement une augmentation de leur part de la richesse foncière dans l'ensemble de celle de la MRC, probablement de façon à en quelque sorte sur-rentabiliser leurs équipements et les charges qui s'y rapportent, sans contre-partie financière pour les autres municipalités. Ce problème de la répartition de la richesse foncière et donc de l'assiette fiscale est aussi à la base du peu d'essor que prend l'aménagement en comparaison de l'exercice des autres compétences de la C.U.M.

Outre ce problème de répartition qui émerge des enjeux de l'intervention en aménagement, il faut souligner celui, plus général, du financement sectoriel qui se poserait si les MRC exerçaient, comme les Communautés ou les organismes qui y sont reliés (par exemple les organismes de transport), d'autres compétences en diverses matières. Car le principe maintenant généralement appliqué par le gouvernement du Québec pour le financement tant municipal que sectoriel régional (par exemple dans le domaine du transport en commun) consiste à contribuer au financement des activités ou des opérations proportionnellement aux revenus générés par les contributions des bénéficiaires. Ce principe louable repose sur la conscientisation des usagers au coût des services et sur leur participation financière aux services dont ils ont choisi de se doter. Sauf que pratiquement son application signifie que, à moins d'un programme spécifique mis de l'avant par le gouvernement du Québec (comme celui des laissez-passer mensuels pour le transport en commun), toute réduction consentie aux usagers entraîne une réduction de la contribution provinciale. Il devient donc à peu près impossible de l'accorder à moins d'être assuré que la diminution de la contribution sera compensée par l'accroissement du nombre des usagers de façon à maintenir le niveau des revenus générés et par conséquent le niveau des contributions gouvernementales. Or, tous les citoyens ne sont pas nécessairement au courant de la formule sur laquelle repose le financement accordé par le gouvernement du Québec et il faudrait investir dans une véritable campagne de publicité à l'échelle du monde municipal et régional pour éclaircir ce point et soulever un débat public. Dans l'intervalle, les élus qui assumeraient des responsabilités sectorielles régionales représenteraient les «gros méchants», des sortes d'ennemis du peuple au même titre que les responsables actuels des organismes de transport toujours sollicités en rapport avec des réductions de tarification qu'ils sont dans l'impossibilité financière d'accorder sauf sur entente comme pour les laissez-passer.

En résumé, les élus locaux, tant par leurs responsabilités locales que régionales, se voient placés dans une position extrêmement précaire des points de vue politique, institutionnel et financier. Ils devront naviguer habilement, de plus en plus coupés des appuis fédéraux et partant d'une situation où le beau rôle ne leur est pas acquis face aux électeurs. Pour les négociations avec le gouvernement du Québec lors de la confection des schémas, ils peuvent se montrer exigeants et obtenir l'appui des populations locales. Il n'en demeure pas moins que le conflit potentiel sera circonscrit et dans le temps et quant à l'objet et que le gouvernement aurait en mains les outils pour, s'il le désirait, diviser pour régner c'est-à-dire faire en sorte que s'opposent des municipalités d'une même MRC ou des MRC distinctes mais voisines. Les règles du jeu, telles qu'établies au point de départ, sont nettement favorables au gouvernement du Québec. Si les municipalités réussissaient à y naviguer sans trop d'encombre et si, éventuellement, elles devenaient les partenaires d'un processus de décentralisation touchant divers services à la population sur lesquels elles n'exercent actuellement aucun contrôle, c'est qu'elles l'auraient amplement mérité.

► L'effet sur l'aménagement et l'urbanisme

Peut-être y a-t-il un caractère incongru à l'énoncé des principes qui ont prévalu à l'élaboration de la Loi sur l'aménagement et l'urbanisme et par extension, du moins en partie, à la réforme de l'organisation territoriale. D'une part, l'on admet que l'aménagement est le résultat d'une multiplicité d'interventions de différents types d'acteurs et l'on propose des modes ou des procédés d'harmonisation. Mais d'autre part, dépassant l'harmonisation comme but ultime, le discours explique la réforme par le caractère politique de l'aménagement. Or, peut-être est-ce l'un des rares champs spécifiques d'activités dont le gouvernement puisse dire sans trop de remous: c'est-un-acte-politique-organisons-les-arbitrages. On imagine mal la référence officielle à de tels fondements dans d'autres domaines où le gouvernement est pourtant omniprésent (santé, service social, éducation, justice). Dans ces autres domaines, l'on invoquerait plutôt des considérations éthiques, morales, sociales, etc. Pourtant, ces autres domaines sont aussi marqués par des luttes de pouvoir aux niveaux politique, institutionnel et professionnel. Le gouvernement s'y positionne quand même, du moins formellement, au-dessus de la mêlée et abandonne aux groupes de pression les justifications qui commencent par ceci-est-un-acte-politique. L'attitude gouvernementale, radicalement différente en matière d'aménagement de ce qu'elle véhicule dans d'autres domaines, passe presque inaperçue dans la population tant l'intérêt suscité par l'aménagement est pour l'instant mitigé et tant les groupes professionnels et autres sont fractionnés et encore insuffisamment structurés.

En ne cherchant pas à démontrer que l'aménagement et l'urbanisme sont des secteurs d'intervention qui présentent un intérêt comme tels, par rapport à leur objet, et non uniquement par subordination à d'autres intérêts, on laisse pour compte la majorité silencieuse d'une part et on hypothèque l'avenir environnemental d'autre part. Car l'environnement se construit ou s'abîme à long terme alors que l'équilibre des groupes de pression et des intérêts politiques se modifie à très court terme. La pratique de l'aménagement et de l'urbanisme ne peut donc coïncider complètement avec la pratique politique ni y être subordonnée en tous points. Il reste à dégager une part de spécificité qui n'apparaît pas dans le discours officiel, qui n'est pas encore réclamée par la population, et qui ne se dégage pas encore non plus de l'insertion débutante des nouvelles structures dans la réforme de l'organisation territoriale.

► La pertinence de la réforme

À priori, le moment choisi pour l'introduction d'une réforme dont nous venons de décrire la nature et l'ampleur des implications, en l'occurrence les années 1978 et 1979, est assez étonnant. En effet, le contexte d'une prochaine stabilisation démographique au Québec était déjà connu et laissait prévoir sinon une baisse, du moins une stabilisation de la pression pour la construction neuve. De plus, certains signes indiquaient déjà un ralentissement de l'activité économique et une hausse du chômage, lequel s'était d'ailleurs déjà accentué depuis le début des années '70. Le gouvernement en place devait en être d'ailleurs d'autant plus conscient qu'il avait été porté au pouvoir en 1976, par une vague de mécontentement envers son prédécesseur en partie à cause de la perception d'une certaine dégradation économique. Un tel contexte qui ne pouvait donc être ignoré aurait nécessairement imposé à moyen terme un ralentissement de la spéculation, de la promotion et de la construction dans le camp privé ainsi que des contingences financières et un ralentissement de la compétition aux projets pompeux, dans le camp public, fédéral, provincial, municipal. Cependant, du point de vue politique, un parti volontariste, muni d'un programme articulé, et fraîchement élu se contente difficilement de se laisser porter par la conjoncture (laquelle était par ailleurs défavorable au gouvernement dans biens des secteurs des plus importants). Pour un gouvernement en début de mandat, ce qui lui paraît comme un coup d'éclat se pare d'un attrait irrésistible. En l'occurrence, il s'agissait d'introduire, à l'aube des années '80, du point de vue de l'organisation territoriale, une réforme dont l'ampleur serait comparable à celle des réformes réalisées, dans les années '60, en matière d'éducation et de santé.

Si donc le moment de l'introduction de la réforme correspond à une croisée des chemins dans la «politique politicienne», la forme prend de plus l'allure privilégiée par les gouvernements qui ressentent le désir ou le besoin de démontrer leur force ou leur emprise sur les événements: lois, règlements, décrets créant des structures, des obligations, des normes, des échéances, des zones, etc. En l'occurrence, dans le monde occidental, il semble que les gouvernements d'allégeance social-démocrate ou socialiste soient aussi portés, sinon plus que les autres gouvernements, à recourir à de tels outils,[13] peut-être parce qu'ils font face à des oppositions ou à des résistances plus puissantes. Le choix du gouvernement s'est donc porté sur la voie coercitive et en partie régulatrice plutôt que sur la voie incitative. Car l'alternative existait qui aurait impliqué une concertation avec les responsables locaux, la mise au point de programmes précis ainsi que de modalités d'application. Cette alternative aurait pu toucher la gestion du territoire agricole, la confection d'instruments d'aménagement et d'urbanisme, et le financement local. L'évolution de ces domaines aurait probablement été différente de ce qu'elle a été effectivement mais il ne nous est pas nécessairement permis de conclure que le choix d'une voie était préférable à celui de l'autre. Il faut dire cependant que la voie choisie permettait de se rapprocher de modèles existants d'organisation territoriale (particulièrement des modèles, quoique très différents, anglais et français) et d'en adapter les points retenus au contexte québécois. La sécurisation relative qu'offre l'adaptation de modèles existants constitue un élément de décision non négligeable pour tout gouvernement au pouvoir malgré la particularité du Québec sur plusieurs plans.

---

13. La gauche aurait aussi tendance à accorder une primauté aux considérations d'ordre politique et à magnifier le rôle de l'État. «C'est ici qu'intervient Rousseau, figure éponyme et improbable d'une tradition qui se réclame de lui et qui domine la culture de la gauche politique en France depuis deux siècles. Paradoxalement, c'est au «Contrat social», ce «livre à refaire» selon l'aveu de son auteur, ce monument obscur plein d'audaces et d'incertitudes, que l'on a, dès la Révolution puis, à travers le XIXe siècle, jusqu'à nous, emprunté une collection de convictions simples, une vulgate, bref, les leçons qu'il était le moins prêt à donner. Elles nourissent au moins implicitement le credo et la sensibilité de la gauche aujourd'hui au point d'être perçues comme des évidences «naturelles». Au coeur de cette représentation du pouvoir, la notion, faussement claire, de souveraineté populaire illimitée. Elle débouche, tout à la fois, sur l'absolue primauté du politique, sur une confiance totale mise en l'État, dépositaire de la volonté générale et régent multiforme de la société, et sur une sous-évaluation du rôle propre d'un gouvernement. Elle invite du même coup à une sorte de volontarisme politique et social qui confie au pouvoir — cette abstraction socialisée — la tâche d'inventer la société et de créer l'homme nouveau».
Jacques Revel, «L'impasse du peuple roi», *Le Nouvel Observateur*, 8-14 novembre 1985, p. 25.
À propos de Jacques Julliard, *La faute à Rousseau, essai sur les conséquences historiques de l'idée de souveraineté populaire*, Paris, Seuil, 1985.

Aiguillonné par le désir de marquer de nombreux changements, sécurisé par l'adaptation de modèles, appuyé par le recours aux lois, règlements et décrets, le gouvernement ne pouvait rater une occasion de raffermir sa grande politique nationale en y intégrant l'organisation territoriale. Quel que soit l'accueil réservé à sa réforme par les milieux impliqués, on ne pouvait de toute façon que prendre conscience de l'importance du territoire et des institutions locales et s'attacher à se les approprier davantage. Bien plus, la réforme permettait au gouvernement du Québec de se détacher de la mêlée en faisant discuter les municipalités entre elles d'une part et en se posant en modèle de démocratie et de fair-play que le gouvernement fédéral devrait imiter d'autre part. Enfin, les inventaires qui devaient être réalisés pour l'élaboration des instruments présentaient l'occasion d'une opération publicitaire pour la présence et l'implication du gouvernement du Québec, de ses ministères et de ses mandataires. En résumé, tout dans la réforme relevait de la politique, ce qui ne lui enlevait pas sa valeur intrinsèque mais soumettait son éclat à des aléas. En tout cas, il n'est pas sûr qu'elle aurait été exactement la même si elle avait été présentée quelques années plus tard. D'abord, elle n'a jamais semblé soulever la ferveur populaire, à cause de sa complexité, même si elle recueillait l'appui de groupes sectoriels et particulièrement, pour la protection du territoire agricole, de l'Union des producteurs agricoles qui continue de défendre la Loi dont le gouvernement vise aujourd'hui l'assouplissement de l'application. Ensuite, le résultat référendaire de 1980 et davantage encore l'élection d'un nouveau gouvernement fédéral conservateur en 1984 ont restreint la portée du différend constitutionnel et son implication territoriale et institutionnelle. Enfin, la réforme s'est avérée difficile d'application sinon dans son essence du moins dans diverses modalités précises qui ont d'ailleurs nécessité de nombreux ajustements par voie législative. Bref, l'ardeur gouvernementale en la matière a régressé de quelques crans bien que l'on continue à soutenir la réforme à laquelle on perçoit encore de nombreux avantages.

Dans les milieux de l'aménagement et de l'urbanisme, les groupes tant d'intérêts que professionnels ont pu certes se réjouir qu'un secteur aussi laissé pour compte dans les programmations officielles et aussi soumis au laisser-faire soit enfin l'objet d'une volonté d'encadrement, de planification et d'harmonisation. Et en effet, l'intérêt pour l'aménagement et l'urbanisme est plus susceptible, après la réforme, d'être partagé, diffusé, parce que l'on y fait plus souvent référence à tous les niveaux de décision. Par contre, le risque est présent de l'adoption d'un langage bureaucratique, d'une «langue de bois» officielle, qui fasse classer n'importe quelle action sur le territoire sous quelques vocables reluisants, continuellement invoqués pour n'importe quel type d'interventions: consolidation du tissu urbain, revitalisation du centre-ville, restructuration des fonctions urbaines, etc. Et ce risque est d'autant plus marqué que l'aménagement et l'urbanisme sont soumis à des instances politiques plus nombreuses dont les préoccupations principales prennent le pas sur celles de l'urbanisme professionnalisé.

6

Le complément de la réforme: la proposition de restructuration du développement régional

Tant aux États-Unis qu'en France, le développement régional semble se bien porter si on le mesure principalement au degré de décentralisation des industries appartenant aux secteurs de pointe et à la diversité de provenance des exportations par rapport aux territoires nationaux. Dans ces deux pays, toutefois, se trouve aussi une mégalopole abritant nombre d'organismes et d'activités à caractère international, d'institutions prestigieuses, de médias. En France, par exemple, le niveau de développement atteint par Paris a amené, en 1963, la création de la D.A.T.A.R. (Délégation à l'aménagement du territoire et à l'action régionale) et la mise en place d'un processus de décentralisation et de déconcentration.

Malgré un démarrage plutôt lent, le développement régional s'est accéléré depuis une dizaine d'années. La recherche et la production dans les secteurs hautement technologiques s'effectuent maintenant en grande partie autour de Grenoble, de Nice, et en Vendée, etc.

Le Québec a relativement peu systématisé son développement régional jusqu'à maintenant malgré l'expérience ponctuelle du B.A.E.Q. (Bureau d'aménagement de l'est du Québec) et malgré divers types d'intervention de l'O.P.D.Q. (Office de planification et de développement du Québec). La première tentative globale[1] en ce sens est proposée en 1983, en même temps que paraît *Aménager l'avenir*. Encore cette proposition apparaît-elle en conjoncture de crise économique, de chômage prononcé et de baisse du taux de natalité. Aussi, est-il prévisible que le développement régional y soit présenté davantage par rapport à l'exploitation maximale de toutes les ressources et surtout de tous les marchés intérieurs que par rapport à des priorités de commerce extérieur ou de décongestion de la métropole, Montréal. Celle-ci, malgré des initiatives intéressantes, est encore loin d'avoir atteint un point de saturation qui justifierait la relocalisation de certaines activités en région. Si donc le développement régional est éminemment souhaitable, on ne peut l'alimenter à même un trop-plein montréalais et la conjoncture ne saurait contribuer puissamment à sa réalisation. Les autres possibilités qui se dégagent concrètement pour l'immédiat tournent autour de la modestie des échanges commerciaux inter-régionaux et de la possibilité d'une dynamisation. À cet égard, le document de consultation propose une plus grande exploitation du marché montréalais, qui fait actuellement largement appel aux productions ontarienne et américaine. Le renforcement régional sur le marché montréalais impliquerait la tenue annuelle d'un Salon inter-régional de la sous-traitance afin que les grandes entreprises publicisent leurs besoins et que les entreprises régionales publicisent leurs techniques et leurs produits. Le Salon, en tant que manifestation, serait appuyé institutionnellement par

1. François Gendron, ministre, *Le choix des régions*, document de consultation sur le développement des régions, Québec, 1983.

une bourse inter-régionale de sous-traitance qui mettrait en contact, sur une base permanente, les différents intervenants. De plus, on propose la création d'une Maison des régions à Montréal. Chaque région y disposerait d'un bureau permanent pour la promotion de ses produits auprès des clients potentiels.

Ces mesures très concrètes et immédiates répondant à une urgence ne constituent cependant absolument pas l'essentiel du document consacré à une politique d'ensemble et, évidemment, à la proposition de nouvelles structures. D'ailleurs, les limites ou les contraintes du développement régional au Québec sont relativement évacuées sauf si elles s'intègrent aux propositions gouvernementales retenues.

Le projet

La perspective gouvernementale consiste essentiellement à construire le pays de l'intérieur et à établir des liens entre aménagement et développement c'est-à-dire entre la réforme déjà en cours et celle qui pourrait l'être bientôt. Si *Aménager l'avenir* présentait l'aménagement comme une forme de transcription du développement, *Le choix des régions* reprend cette relation: «En fait, aménager, c'est fournir un cadre au développement de sa collectivité; il n'y a pas d'aménagement sans développement, non plus que de développement harmonieux répondant aux aspirations d'une communauté sans aménagement».[2] Le document s'appuie d'abord sur un historique du développement régional. Celui-ci a reposé dans une large mesure sur les interventions de la grande entreprise, principalement dans les secteurs primaire et secondaire: exploitation des ressources naturelles et transformation. À ces interventions se sont ajoutées, surtout depuis les années '60, celles de l'État: implantation d'hôpitaux, d'universités, de collèges en régions de même que participation ou contrôle du capital-actions de plusieurs entreprises implantées dans diverses régions. Ces deux pôles historiques apparaissent aujourd'hui insuffisants puisque l'un est soumis tant aux marchés mondiaux et

2. *Le choix des régions*, p. 65.

à leurs importantes fluctuations qu'à sa propre difficulté de transformation et d'adaptation à de nouvelles productions alors que l'autre ne saurait, de par les mandats qui lui sont confiés par la population, s'impliquer davantage, du moins sous forme de participation financière. Ce sont donc les initiatives régionales qui ont pris le relais et les P.M.E., coopératives et autres formes organisationnelles non traditionnelles comptent aujourd'hui dans la création d'une très forte majorité des nouveaux emplois. L'importante présence de l'initiative régionale constitue l'un des acquis sur lesquels repose la proposition de politique régionale, les deux autres étant les ressources exploitables d'une part et les ressources humaines et les équipements de qualité d'autre part. Certaines lacunes doivent cependant être corrigées. Elles se rapportent entre autres au faible niveau de décentralisation des différents ministères, même de ceux qui, déconcentrés, assurent une présence et offrent des services dans les régions. Elles se rapportent aussi à la déficience de la coordination des interventions gouvernementales et à l'existence d'une multiplicité de découpages, selon les ministères, pour obtenir des nombres différents de régions dont les frontières ne coïncident pas. De plus, dans la vision gouvernementale, une coordination des actions du secteur privé serait souhaitable non seulement par type d'activités mais aussi et surtout par région dans une perspective globale de même que sur une base inter-régionale. Ainsi, pour que le Québec bénéficie du virage technologique, faudrait-il que les innovations, émanant des institutions, organismes et entreprises majoritairement situés dans les grands centres urbains, puissent être véhiculées jusqu'aux P.M.E. régionales.

Dans une perspective de développement des régions par les régions, la politique gouvernementale propose la reconnaissance de deux (2) niveaux régionaux distincts:

— la région d'appartenance correspondant au territoire de la MRC;
— la région de concertation, beaucoup plus vaste, correspondant approximativement à la région administrative actuelle découpée par le gouvernement du Québec mais à laquelle des modifications seraient apportées principalement de façon à inclure des MRC complètes quant à leur territoire.

L'élaboration du schéma d'aménagement constituerait la première action concertée concernant la région d'appartenance. Des expériences de décentralisation sont aussi prévues par le gouvernement qui serait prêt à confier aux MRC la voirie tertiaire, la promotion économique et touristique et la gestion d'équipements culturels et de loisir. Cette décentralisation s'accompagnerait d'une participation financière gouvernementale. Le gouvernement souhaiterait d'ailleurs l'existence d'une société de développement économique dans chaque MRC et s'il y a lieu la transformation de l'actuel commissariat industriel en une telle société. De façon à répondre à la fois aux attentes de la région d'appartenance et aux objectifs gouvernementaux, le document privilégie la formule du contrat de développement entre le gouvernement et la MRC. Le territoire de la MRC constituerait aussi le territoire de base pour les services gouvernementaux directs à la population offerts par différents organismes: commissions scolaires, CLSC, centres de main-d'oeuvre et de sécurité du revenu, Régie de l'assurance-automobile, Aide juridique, etc.

Quant à la région de concertation, son existence serait éventuellement reconnue par une loi spécifique qui la doterait d'un Conseil régional de concertation et d'intervention (CRCI) chapeauté par un Conseil d'administration. La composition du CRCI ferait appel à la participation de représentants de divers milieux:

— municipal et MRC;
— des affaires;
— des travailleurs, des producteurs (agricoles et forestiers), des syndicats;
— de l'éducation, de la santé et des services sociaux;
— des associations et des conseils consultatifs (culture, loisirs, tourisme, etc.).

Le CRCI devrait élaborer un plan triennal de développement précisant les responsabilités et les engagements des différents groupes d'intervenants régionaux. Il devrait aussi porter une attention spéciale aux projets susceptibles d'être réalisés à court terme et les présenter au Ministre dans le cadre d'une éventuelle Conférence annuelle régionale prévue entre le gouvernement et les CRCI. Le Ministre, disposant d'un Fonds de développement régional, pourrait contribuer financièrement à leur réalisation ou le gouvernement pourrait s'engager à participer dans le cadre des programmes réguliers des ministères. De plus, les CRCI disposeraient chacun de moyens financiers autonomes sous la forme d'un Fonds d'interventions régionales (FIR).

La superposition des réformes

Si la réforme proposée en matière de développement régional était éventuellement appliquée soit intégralement dans la forme proposée soit dans une forme légèrement remaniée pour tenir compte de diverses opinions exprimées, elle compléterait la réforme déjà en cours en ce qui concerne le territoire, les structures et les responsabilités. Alors que les interventions publiques étaient autrefois assurées par le gouvernement du Québec d'une part et les municipalités d'autre part (en plus, bien sûr, des interventions du gouvernement fédéral), on aurait, suite aux réformes, plusieurs paliers d'intervenants publics agissant sur des territoires d'ampleur différente et exerçant des responsabilités différentes mais imbriquées les unes par rapport aux autres. Ainsi, le gouvernement du Québec serait responsable de tout le territoire du Québec, le CRCI de la région de concertation, le conseil de la MRC de la région d'appartenance et le conseil municipal du territoire local.

GRAPHIQUE 1
TERRITOIRES, STRUCTURES ET RESPONSABILITÉS PROPOSÉS

TERRITOIRES	STRUCTURES	RESPONSABILITÉS
Territoire québécois	Gouvernement du Québec	Aménagement et développement
Régions de concertation	CRCI	Développement
Régions d'appartenance	Conseil de la MRC	Aménagement (et développement)
Municipalités locales	Conseil de la municipalité locale	Urbanisme

Le CRCI et le conseil de la MRC exerceraient des compétences strictement de développement et d'aménagement, étant entendu que l'ampleur de l'exercice de ces compétences peut varier selon que l'on s'en tient au contenu obligatoire ou que l'on ajoute les contenus facultatifs. Pour le gouvernement du Québec ainsi que pour les municipalités locales, leur insertion dans le processus s'ajoute à l'exercice de divers autres types de pouvoirs et de responsabilités dont ils rendent compte à leurs électeurs. Tant au CRCI qu'au conseil de la MRC, la représentation de la population est indirecte mais les élus municipaux participent aux deux (2) niveaux: en exclusivité pour le conseil de la MRC et de façon très minoritaire au CRCI. Les responsabilités confiées aux structures prévoient une étroite interrelation entre aménagement et développement.

Le problème escamoté: le cas de Montréal et de l'Outaouais

Si le découpage territorial, les structures et les responsabilités proposés apparaissent tout à fait cohérents et susceptibles d'assurer les liens entre développement régional et aménagement (ou du moins un minimum de liens) suite à la superposition de deux réformes, on peut quand même se demander d'abord si l'intérêt de la cohérence a pu seul être pris en considération lors de la formulation du projet concernant le développement régional. Or, quelques phrases du document de consultation font particulièrement référence, malgré la concision du texte, à un problème majeur, celui de la région montréalaise et, dans l'ouest du Québec, celui de la vallée de l'Outaouais. «En tant que siège du gouvernement, Québec concentre les hautes fonctions gouvernementales alors que Montréal rassemble surtout celles de nature privée. Cette dissociation géographique rend encore plus nécessaires les relations d'échanges entre ces deux pôles métropolitains québécois.»[3] Ces phrases ne peuvent être qualifiées de très explicites quant à la nature et à l'ampleur du problème posé. L'ensem-

3. *Le choix des régions*, p. 48.

ble du document ne l'est pas davantage quant aux solutions concrètes envisagées sauf en ce qui concerne l'implantation éventuelle à Montréal d'une Maison des régions ainsi que la tenue éventuelle aussi d'un Salon annuel inter-régional. Mais ces deux propositions ne visent qu'une plus grande exploitation du marché montréalais actuellement accaparé en bonne partie par les producteurs ontariens et américains. Cependant, le problème montréalais et de l'ouest québécois se pose non seulement en termes économique et commercial mais aussi en termes politique et institutionnel. Des initiatives à caractère international y sont assumées régulièrement; la plupart des communautés ethniques du Québec y sont établies; les références aux politiques canadiennes et américaines y sont fréquentes; il en va de même pour les voyages d'affaires au Canada et à l'étranger ainsi que pour l'accueil de congrès et d'autres contacts professionnels et d'affaires. Par toutes ces dimensions non mentionnées au document officiel, la culture montréalaise et ouest-québécoise est largement imprégnée de références canadiennes, américaines et étrangères et tant la population que des institutions et de nombreuses organisations sont effectivement impliquées dans un système plus vaste que le système québécois. Politiquement, le gouvernement du Québec peut souhaiter bénéficier des appuis qu'ont développés les réseaux montréalais et ouest-québécois mais en même temps, il peut souhaiter mieux contrôler l'insertion de ces régions dans le système québécois et renforcer les échanges de tous types avec Québec et les autres régions.

De plus, même si cet aspect n'est pas expressément souligné dans le document formel, la région de Montréal et celle qui se situe immédiatement à l'ouest compte deux (2) des trois (3) Communautés du Québec (C.U.M. et C.R.O.) ainsi qu'une (1) MRC composée d'une seule ville (Laval). Enfin, une (1) MRC est spécifiquement organisée par rapport aux municipalités du territoire entourant l'aéroport international de Mirabel où les interventions fédérales prédominent depuis de nombreuses années. Si l'objectif du gouvernement du Québec consiste à encadrer davantage les initiatives émanent de la région et à les rendre compatibles avec celles de l'ensemble du Québec, il devient stratégiquement opportun d'insérer ces structures dans un réseau à l'échelle du Québec et de resserrer le caractère opérationnel du niveau de la région administrative en la redéfinissant et en précisant les structures et les pouvoirs qui s'y situent. Enfin, le nombre de régions de concertation proposé par le document (quatorze au total) permet de diluer le poids de la région de Montréal et de l'ouest immédiat et de mieux fondre leurs priorités dans l'ensemble des priorités à l'échelle du Québec. D'ailleurs, le territoire de la C.R.O. serait incorporé à la vaste région dite de l'Outaouais qui engloberait même le territoire de la MRC de Pontiac. Quant au territoire de la C.U.M., il ferait partie d'une région appelée Montréal-centre et englobant aussi le territoire de Laval. La C.U.M. et Laval, représentant environ le tiers ($^1/_3$) de la population du Québec et une part très importante de tous les types d'activités, se trouveraient ainsi à constituer une seule région de concertation dans un ensemble de quatorze ($^1/_{14}$). Même en admettant que d'autres régions de concertation puissent partager certains intérêts et constituer des appuis, il n'en demeure pas moins que la structure proposée ne correspond pas à la stature de la région montréalaise et ne peut qu'escamoter le problème que pose cette région sur divers plans.

Le fonctionnement hypothétique

Le fonctionnement éventuel du Conseil régional de concertation et d'intervention (CRCI) pose une série de questions dont certaines renvoient à sa composition même. Celle-ci fait en effet appel simultanément à des élus (représentants municipaux et supramunicipaux) et à des représentants du milieu socio-économique. Dans la mesure où le Conseil assume un rôle de concertation, cette représentation peut ne présenter aucun problème particulier et offrir au contraire les avantages de la mixité. Cependant, le rôle d'intervention risque d'être handicapé par la participation d'élus dont les mandats émanent de contribuables locaux uniquement. De plus, la représentation socio-économique peut donner lieu à contestation par son découpage de nature traditionnelle (producteurs, syndicats, patronat, etc.). On remarque que des groupes d'intérêts et de pression montants ne sont pas mentionnés alors qu'ils répondent aux nouveaux problèmes de notre société et que la région de concertation pourrait être l'un des lieux de leur expression et l'un des champs de leur réalisation. Par exemple, citons les organisations de promotion des jeunes, des femmes, des groupes ethniques, de l'âge d'or, etc. Enfin, on arrive mal à imaginer une concertation et des interventions portant sur des projets par exemple industriels précis et concrets. Il est difficile d'imaginer que dans un contexte nord-américain compétitif, des projets d'affaires soient discutés avec une multiplicité de partenaires socio-économiques régionaux, du moins dans les phases de conception et de planification. Par contre, une fois le projet au point et plus particulièrement si une demande de subvention gouvernementale est présentée, il est fort possible que le Conseil soit mis à contribution et la région mobilisée pour faire pencher la balance ministérielle.

Le document laisse dans l'ombre la question du raccordement des instances gouvernementales régionales, que l'on propose de formaliser et de systématiser, aux différents ministères et organismes centraux. Or, cette question du raccordement des pouvoirs est primordiale et pose le problème de savoir si l'objectif visé en est un de décentralisation ou de déconcentration. S'il s'agissait effectivement de décentralisation, les propositions de politiques émanant des régions pourraient non seulement ne pas subir d'entraves mais même influencer les politiques nationales québécoises. Dans ce contexte, il faudrait revoir les «Conseils» dont nombre de ministères sont maintenant dotés au niveau central, parfois en plusieurs exemplaires distincts, et dont le rôle en général est précisément de formuler des politiques et de conseiller le Ministre quant à leur application au niveau national (Conseil du tourisme, Conseil des communautés culturelles, Conseil des universités, Conseil supérieur de l'éducation, etc.).

La double structure des «Conseils» sectoriels au niveau national et des conseils non spécialisés au niveau régional s'ajoutant à la double structure des ministères et des organismes locaux, régionaux de comté et régionaux de concertation, contribuerait à l'accroissement de la bureaucratie, laquelle est déjà suffisamment importante pour faire l'objet de maintes dénonciations. D'une façon globale, on peut se demander quels seraient les effets d'un resserrement de l'encadrement et d'une multiplication des instances sur la créativité et l'esprit d'entrepreneurship qu'un document comme *Le choix des régions* propose précisément de stimuler.

Outre le dilemme bureaucratie versus entrepreneurship, la proposition contenue dans le document accentue le problème de la politisation de tout enjeu susceptible d'apparaître en matière d'aménagement ou en matière de développement. Multiplier le nombre d'instances gouvernementales, c'est déjà multiplier les risques de luttes de pouvoirs, d'incompatibilités d'orientations, de saturation dans la population. Mais multiplier le nombre d'instances où des élus, québécois ou municipaux, interviennent alors que leurs mandats électoraux ne concernent justement pas ces instances, c'est multiplier les risques que la société civile s'affaiblisse progressivement au profit de la société politique. Le paradoxe réside en ce que justement le discours officiel vise le renforcement de la société civile. Mais la réforme proposée, qui doit compléter celle qui est déjà en cours, offre comme cette première, les avantages, du point de vue gouvernemental québécois, d'une part de marginaliser toujours davantage les institutions et les initiatives fédérales et d'autre part étaler les responsabilités face à la population et aux électeurs.

Conclusion

> «Traditionnellement, les administrations municipales ou urbaines ont été généralement considérées au Québec comme des organismes à caractère administratif. D'ailleurs, nous avons à maintes reprises lu et entendu au cours de notre travail que les administrations municipales ne sont pas là pour faire de la politique mais bien pour administrer.»[1]

Cette perception fortement ancrée correspond à une série de faits qui se maintiennent vrais même après la réforme de l'organisation territoriale. D'abord, le pouvoir municipal demeure un pouvoir délégué par charte spéciale ou par voie législative et il ne pourrait faire l'objet d'une sous-délégation, ce qui confère une certaine rigidité à son exercice puisque toute forme discrétionnaire est exclue des attributions des fonctionnaires municipaux. De plus, contrairement aux municipalités de plusieurs autres pays, les municipalités québécoises interviennent dans des domaines restreints; sont exclus de leur pouvoir les secteurs de l'éducation, de la santé, du bien-être social plutôt pris en charge par des organismes autonomes et par des ministères. Enfin, même les finances municipales sont soumises à de sévères impératifs. Contrairement aux gouvernements supérieurs, les municipalités ne sont pas autorisées à emprunter pour couvrir des dépenses de fonctionnement. Les règlements d'emprunt doivent obtenir l'approbation gouvernementale provinciale; dans les cas d'emprunt visant à équiper des développement résidentiels, l'approbation est condi-

1. Rapport du groupe de travail sur l'urbanisation, *L'urbanisation au Québec,* p. 104.

tionnelle à l'application de règles administratives précises.[2] Tout règlement d'emprunt ayant pour objet l'exécution de travaux publics autres que des travaux de réfection, de correction ou de réparation d'immeubles en place doit, lors de sa transmission, être accompagné d'un avis du conseil de la MRC. Cet avis porte sur l'opportunité du règlement d'emprunt compte tenu du schéma d'aménagement[3] ou du règlement de contrôle intérimaire.[4]

Bref, toutes ces contraintes, traditionnelles ou récemment ajoutées, ne peuvent que contribuer à la perception d'une instance municipale bien plus administrative que politique. S'y additionnent d'ailleurs d'autres contraintes susceptibles de réduire les velléités politiques des élus locaux: le mode de représentation à la MRC, à l'éventuel CRCI (Conseil régional de concertation et d'intervention) ainsi que le mode général de financement des organismes à caractère régional où le financement gouvernemental fluctue selon les contributions des bénéficiaires ou la participation financière locale. Dans ce contexte, il ne faut pas s'étonner que l'on considère que le rôle des administrations municipales est simplement d'administrer des services précis et de catalyser les interventions de ceux qui détiennent des pouvoirs, des ressources, des accès.

D'ailleurs, l'absence traditionnelle de partis politiques sur la scène municipale témoigne d'une vision privilégiant l'aspect administratif par rapport à l'aspect politique. Certes, les conseils municipaux assument des décisions importantes mais les conseils d'administration des quelques grands hôpitaux universitaires aussi. De plus, une vision davantage administrative que politique n'est pas exempte de bénéfices: elle réduit considérablement les risques de surenchère électoraliste, de démagogie, de clivage et de fractionnement. Elle ne comporte cependant pas que des avantages mais de toute façon le fait que les nouveaux partis politiques municipaux se font et se défont rapidement devrait inciter à la prudence. Il montre que ces partis reposent davantage sur des

---

2. *Aménager l'avenir,* p. 109.
3. Loi sur l'aménagement et l'urbanisme, article 46.
4. Loi sur l'aménagement et l'urbanisme, article 76.

personnes que sur une idéologie ou sur un mode de traitement des enjeux. Ceux-ci commencent à peine a être dégagés au niveau local et encore le sont-ils souvent par rapport à la concurrence d'autres municipalités par exemple au sein de la MRC. De plus, contrairement à ce qui a cours dans plusieurs pays, les grands partis politiques de la scène fédérale et provinciale n'ont pas systématiquement investi la politique locale au Québec. Certes, des élus municipaux sont membres ou sympathisants des grands partis politiques et même dans certains cas ils misent sur leur action en politique municipale comme tremplin en vue d'une carrière politique fédérale ou provinciale. Mais, d'une part, ces affiliations de même que les intentions ne sont souvent pas affichées trop ouvertement afin de ne pas s'aliéner une partie de la clientèle électorale municipale. D'autre part, on trouve souvent simultanément des appartenances ou des sympathies à plus d'un grand parti politique au sein du groupe des élus d'une même municipalité ou d'un même parti politique municipal.

Des considérations pratiques contribuent aussi à minimiser la politisation au palier municipal. Par exemple, la plupart des municipalités du Québec comptent un personnel restreint. Il n'est alors évidemment pas question de bénéficier d'un personnel politique qui accomplirait au palier municipal le même genre de travail que celui qui est confié au personnel des cabinets des différents ministères aux paliers supérieurs de gouvernement. Depuis peu, la privatisation ou le «faire-faire» est en vogue. La tendance vise à attribuer par contrat à l'entreprise privée la fourniture de services traditionnellement confiés à des salariés de la municipalité. Parallèlement aux économies ainsi réalisées, cette nouvelle pratique permettrait de dégager une disponibilité minimale de personnes-ressources à des fins politiques. Notons qu'en même temps que l'on développe cette nouvelle voie, l'utilisation des sondages gagne aussi en popularité dans le milieu municipal. Avec la disponibilité de personnel et avec l'introduction des sondages comme outils de prise de décision, il est évident que les élus, du moins dans les municipalités d'une certaine taille, disposeraient de moyens pour privilégier la dimension politique. Mais il ne s'agit pas encore d'une réalité, à quelques exceptions près, compte tenu du grand nombre de municipalités au Québec.

De fait, le moment de la réforme de l'organisation territoriale correspondait à l'arrivée à un carrefour en terme d'orientations. Le choix de l'affirmation de la nature politique de l'aménagement niait un certain nombre de réalités que nous venons d'expliquer et ne correspondait nullement à la vision administrative du rôle local tel que perçu traditionnellement. De plus, la conjoncture de crise économique et de réduction des projets de développement aurait pu représenter l'occasion d'explorer d'autres avenues. Enfin, l'évolution idéologique des années '80 ne semble pas concorder avec la politisation des enjeux locaux et régionaux. Le mouvement préconisant «l'État minimum»,[5] c'est-à-dire la réduction du secteur public à ses missions de base et sa gestion comme celle d'une entreprise, ne vise sûrement pas la simple substitution du champ politique au champ opérationnel aux niveaux local et régional. Il faut compter aussi avec une nouvelle génération de citoyens, qui, au mieux, est prête à composer avec la politique: la politique, peut-être, oui, mais autrement... En somme, il importait, dès avant les années '80, de dresser la liste des avantages d'instances municipales comme les nôtres et de se demander si, tout compte fait, nous n'étions pas en avance, et si l'évolution n'allait pas inexorablement dans notre sens.

L'autre voie, l'autre orientation possible, aurait consisté à viser un maximum d'efficacité tout en n'introduisant qu'un minimum de changements. Il se serait alors agi de minimiser, si possible, les risques de conflits d'intérêts publics/privés. En même temps, et surtout, il aurait fallu améliorer les capacités des élus à administrer, les rendre plus compétents, et élargir leurs sensibilités, principalement en matière d'environnement et d'urbanisme. Enfin, il aurait pu être question d'un détachement progressif du cadre réglementaire à la faveur de la concertation et de l'adhésion à des programmes québécois/municipaux. Cependant, cette voie n'offrait pas les mêmes promesses quant à la solution des propres problèmes politiques du gouvernement du Québec. Et, dans ces

5. Consulter Guy Sorman, *La révolution conservatrice américaine*, Fayard, Collection Pluriel.

cas, la tentation pour les gouvernements supérieurs consiste à sinon reléguer les problèmes à d'autres paliers du moins à leur faire partager les responsabilités politiques. Par exemple, la vision «reagannienne» de l'assistance aux nouveaux pauvres aux États-Unis consisterait plutôt à confier aux États la plupart des programmes d'assistance quitte à ce qu'ils aboutissent ultimement au palier local. À notre sens, la réforme de l'organisation territoriale à l'aube des années '80 a bel et bien correspondu à un virage politique, réalisé prestement, sans doute trop, sans que le contexte institutionnel ait présenté les moyens de s'y adapter.

Par rapport plus spécifiquement à l'aménagement et à l'urbanisme, le contexte antérieur était caractérisé par la dissociation marquée entre une planification idéaliste et floue et une opérationnalisation technique et serrée. À l'intérieur même de la technique la plus stable, le zonage, la partie la plus stable concernait les éléments les plus mineurs: les marges, les clôtures, les abris temporaires d'autos, les cordes à linge. Le nouveau contexte réhabilite la planification mais en la soumettant à un lourd processus politique et administratif. Dans les deux cas, la rationalité de l'urbanisme aurait rendu autre chose souhaitable. Mais cette évolution était sinon prévisible, du moins annoncée dès la publication du rapport sur l'urbanisation au Québec. Celui-ci prenait nettement position pour une vision politique et préconisait la généralisation de la présence de partis politiques municipaux. Dès lors, on était prêt à se soumettre à deux genres de risques: d'abord que croisse l'enjeu local et régional dans un contexte constitutionnel que l'on ne parvient pas à stabiliser; ensuite que la société civile subisse davantage de pertes au bénéfice de la société politique, surtout à une époque qui ne s'y prête pas particulièrement.

Par ailleurs, il reste à articuler des pans entiers de l'évolution des milieux locaux et régionaux en termes qualitatifs plutôt qu'en termes de structures, d'institutions et d'organisations. Par exemple en matière de liens à tisser entre aménagement et développement d'une part et entre aménagement et environnement d'autre part. En effet, longtemps la pratique de l'urbanisme a pu être considérée comme la garante d'une certaine harmonisation du cadre bâti et d'une certaine stabilité de la propriété. Elle devient l'outil d'une vision politique et administrative des milieux locaux et régionaux. Dans un troisième temps, celui de la stabilité démographique et de l'ajustement économique, pourquoi l'urbanisme ne serait-il pas le véhicule de la promotion de l'environnement et de la qualité de la vie?

Bibliographie

Volumes et documents

AUBIN, Henry. *Les vrais propriétaires de Montréal.* Montréal, Éditions l'Étincelle, 1977, 446 p.

BEAUDOIN, Gérald A., *Le partage des pouvoirs.* Ottawa, Éditions de l'Université d'Ottawa, 1980, 432 p.

CHAMBERLAIN, SImon B. *Aspects of Developer Behavior in the Land Development Process.* Research Paper no. 56. Toronto, Centre for Urban and Community Studies, University of Toronto, 1972, 59 p.

CHAPIN, F., Stuart Jr. *Urban Land Use Planning.* Chicago, University of Illinois Press, 2e édition, 1978, 498 p.

CHARLES, Réjane. *Le zonage au Québec, un mort en sursis.* Montréal, Les Presses de l'Université de Montréal, 1974, 171 p.

CHOAY, Françoise. *L'urbanisme, utopies et réalités.* Paris, Éditions du Seuil, collection «Points», 1965, 445 p.

CORMIER, Louis. *Le contrôle de l'utilisation du sol: législation et réglementation québécoises.* Québec, Office de planification et de développement du Québec (O.P.D.Q.), 1980, 447 p.

CORMIER, Louis A. et Louis V. SYLVESTRE. *Loi sur la protection du territoire agricole* (commentée et annotée). Montréal, Wilson et Lafleur Ltée, 1980, 427 p.

DANSEREAU, Francine et Marcel GAUDREAU. *Commerce du sol et promoteurs à Montréal.* Montréal, L'association canadienne d'urbanisme, division du Québec, et le Conseil canadien de recherches urbaines et régionales, conférence conjointe, mai 1976, sous le titre «Une politique du sol: pourquoi?», 45 p.

FRÉCHETTE, André-B. *Étude sur les levés cadastraux dans la province de Québec.* Québec, Faculté de foresterie et de géodésie, Université Laval, 1966, 279 p.

GENDRON, François, ministre. *Le choix des régions.* Document de consultation sur le développement des régions. Québec, Gouvernement du Québec, 1983, 132 p.

GIROUX, Lorne. *Aspects juridiques du règlement de zonage au Québec.* Québec, Les Presses de l'Université Laval, 1979, 543 p.

GOUVERNEMENT DU QUÉBEC, Conseil exécutif. *Aménager l'avenir.* Les orientations du Gouvernement en matière d'aménagement du territoire. Québec, 1983, 126 p.

LACONTE, Pierre. *Mutations urbaines et marchés immobiliers.* Paris, Oyez, 1978, 140 p.

LAVOIE, Claude. *Initiation à l'urbanisme.* Montréal, Éditions Georges LePape, 1978, 150 p.

LITHWICK, N.H. *Le Canada urbain, ses problèmes et ses perspectives.* Rapport rédigé pour l'Honorable R.K. Andras, ministre responsable du logement, Ottawa, Gouvernement du Canada, 1970, 262 p.

MARSAN, Jean-Claude. *Montréal en évolution.* Montréal, Fides, 1974, 423 p.

MARSAN, Jean-Claude. *Montréal, une esquisse du futur.* Montréal, Institut québécois de recherche sur la culture, 1983, 322 p.

MARTINEAU, Pierre. *Les biens.* Montréal, cours de Themis, publiés par les étudiants en droit de l'Université de Montréal, 1973, 189 p.

MINISTÈRE DES AFFAIRES MUNICIPALES. *La réforme de la fiscalité municipale, information générale.* Québec, Gouvernement du Québec, 1980, 133 p.

MINISTÈRE DES AFFAIRES MUNICIPALES. Collection *Aménagement et urbanisme.* Québec, Gouvernement du Québec, 1984 et 1985.

Proposition préliminaire d'aménagement, 16 p.
Adoption d'un schéma d'aménagement, 16 p.
Adoption d'un plan d'urbanisme durant l'élaboration du schéma d'aménagement, 16 p.
Modification d'un plan d'urbanisme durant l'élaboration du schéma d'aménagement, 16 p.
Adoption des règlements d'urbanisme durant l'élaboration du schéma d'aménagement, 16 p.
Modification des règlements d'urbanisme durant l'élaboration du schéma d'aménagement, 34 p.
Programmes d'acquisition et d'aménagement de terrains, 12 p.
L'avis sur l'opportunité d'un règlement d'emprunt, 2 p.
La municipalité régionale de comté et les territoires non organisés, 11 p.
Prévisions de la croissance et délimitations des périmètres d'urbanisation, 104 p.
Engagement des consultants, 16 p.
Contrôle intérimaire exercé par la M.R.C.: sa raison d'être et ses effets, 16 p.

MINISTÈRE DES AFFAIRES MUNICIPALES. Aménagement du territoire et urbanisme. *Répertoire commenté des termes, des organismes et des lois.* Québec, Gouvernement du Québec, 1985, 105 p.

PILETTE, Danielle. *Les promoteurs au Québec: les secteurs foncier et immobilier résidentiel.* Thèse de Ph.D. non publiée présentée à la Faculté de l'Aménagement de l'Université de Montréal, 1980, 194 p.

PISANI, Edgard. *Utopie foncière.* Paris, Gallimard, 1977, 212 p.

POIRIER, Michel (sous la direction de). *Droit québécois de l'aménagement du territoire.* Sherbrooke, Les Éditions Revue de droit, Université de Sherbrooke, 1983, 601 p.

RAPPORT DU GROUPE DE TRAVAIL SUR L'URBANISATION. *L'urbanisation au Québec.* Québec, Éditeur officiel du Québec, 1976, 347 p.

ROGERS, Ian MacF. *Canadian Law of Planning and Zoning.* Toronto, The Carswell Co Ltd, 1973, 282 p.

SORMAN, Guy. *La révolution conservatrice américaine.* Paris, Fayard, Collection Pluriel, 1984, 298 p.

SORMAN, Guy. *La solution libérale.* Paris, Fayard, Collection Pluriel, 1985, 312 p.

TOPALOV, Christian. *Les promoteurs immobiliers.* Paris, Mouton, 1974, 413 p.

Articles

BÉLANGER, Pierre. «Les unifamiliales de banlieue: qui achète quoi?». *Le Devoir,* 16 septembre 1980, p. 15.

BOUTHILLIER, André. «Les $ 200 millions du Fonds LaPrade». *Le Devoir,* mardi le 14 août 1984, p. 1.

CANDOTTI, Marie-Christine et Marie KRONSTROM. «Dossier: Les commissariats industriels du Québec: un outil de développement industriel». *Développement-Québec* (O.P.D.Q.), vol 7, n° 2, mai 1980, p. 7-18.

CARDINAL, Aurèle et Michel LABONTÉ. «Application du système I.U.S. à Ville de Laval». *Les cahiers de droit,* vol. 16, n° 2, 1975, p. 381-402.

CARON, Jean-Paul, Joseph CHUNG et Roland JOUANDET-BERNADAT. «Zonage et valeurs foncières». *Recherches sociographiques,* vol. XIV, n° 2, 1975, p. 181-206.

CHARLES, Réjane. «Choix d'utilisation du sol à travers le zonage». *Cahiers de géographie du Québec,* vol. 22, n° 57, 1978, p. 349-376.

CHARLES, Réjane. «Discrimination en matière de zonage». *Les cahiers de droit,* vol. 16, n° 2, 1975, p. 327-362.

CHARLES, Réjane. «Dynamique du zonage». *Recherches sociographiques,* vol. XVI, n° 2, 1975, p. 155-180.

CHARLES, Réjane. «Règles informelles du zonage: participation et pièges du formalisme juridique». *Revue générale de droit,* vol. 11, n° 1, 1980, p. 161-207.

GIROUX, Lorne. «Le nouveau droit de l'aménagement... ou l'enfer pavé de bonnes intentions». *Revue générale de droit,* vol. 11, n° 1, 1980, p. 65-92.

GIROUX, Lorne. «Les récents développements en matière de zonage». *Revue de droit,* vol. 12, n° 1, 1981, p. 73-116.

GOLDBERG, Michael A. «Residential Developer Behavior: Some Empirical Findings». *Land Economics,* vol. 50, n° 1, 1974, p. 85-89.

GOLDBERG, Michael A. et Daniel D. WINDER. «Residential Developer Behavior 1975: Additional Empirical Findings». *Land Economics,* vol. 52, n° 3, 1976, p. 363-370.

KENNIFF, Patrick. «Les récentes réformes législatives en droit municipal québécois: Bilan et perspectives d'avenir». *Revue de droit,* vol. 12, N° 1, 1981, p. 3-41.

LAFOND, Nicole. «La Loi sur l'aménagement et l'urbanisme». *Revue de droit,* vol. 12, n° 1, 1981, p. 43-72.

L'HEUREUX, Jacques. «Schémas d'aménagement et plans d'urbanisme en vertu de la Loi sur l'aménagement et l'urbanisme». *Revue générale de droit,* vol. 11, n° 1, 1980, p. 7-63.

LINTEAU, Paul-André et Jean-Claude ROBERT. «Propriété foncière et société à Montréal: une hypothèse». *Revue d'histoire de l'Amérique française,* vol. 28, n° 1, 1974, p. 45-65.

LORTIE, Jean-Pierre. «La réforme de la fiscalité municipale: l'évaluation foncière». *Revue de droit,* vol. 12, n° 1, 1981, p. 117-139.

MARSAN, Jean-Claude. «Pour une esthétique de tous les sens». *Habitat,* vol. 25, n° 2, 1982, p. 2-7.

MATTHEWS, Jane. «La protection du territoire agricole au Québec». *Revue générale de droit,* vol. 11, n° 1, 1980, p. 209-232.

MINISTÈRE DES AFFAIRES MUNICIPALES. «Les interventions fédérales directes auprès des municipalités du Québec». *Municipalité,* juin-juillet 1983, p. 11-21.

PILETTE, Danielle. «Composantes des règlements de zonage». *Les cahiers de droit,* vol. 16, n° 2, 1975, p. 363-379.

PILETTE, Danielle. «Les acteurs du zonage et leurs pratiques». *Cahiers de géographie du Québec,* vol. 22, n° 57, 1978, p. 393-420.

PILETTE, Danielle. «Les promoteurs et les contrôles de l'utilisation du sol». *Actualité immobilière,* vol. 4, n° 4, p. 19-22 et vol. 5, n° 1, p. 29-32.

PILETTE, Danielle. «Transformation du zonage à Jacques-Cartier». *Recherches sociographiques,* vol. XVI, n° 2, 1975, p. 141-154.

POIRIER, Michel et Jean-Marie LAVOIE. «La réforme de la fiscalité municipale: taxation et paiements de transfert». *Revue de droit,* vol. 12, n° 1, 1981, p. 141-200.

ROIG, Charles. «Planificateurs et planification aux États-Unis». *L'actualité économique,* 43e année, n° 2, juillet-septembre 1967, p. 280-337; 43e année, n° 3, octobre-décembre 1967, p. 450-506; 44e année, n° 1, avril-juin 1968, p. 81-127.

DANS LA MÊME COLLECTION

LES ADMINISTRATIONS MUNICIPALES: DES ORIGINES À NOS JOURS

(A. BACCIGALUPO)

TOME I: LES MUNICIPALITÉS

Chapitre I
Histoire des administrations municipales québécoises

Chapitre II
Les structures administratives locales

Chapitre III
Les élus locaux

Chapitre IV
Les fonctions publiques municipales

Chapitre V
Les services et équipements municipaux

Chapitre VI
Les finances municipales

TOME II: L'ENVIRONNEMENT MUNICIPAL

Chapitre VII
Des municipalités de comté aux municipalités régionales de comté (MRC)

Chapitre VIII
Les communautés urbaines et régionale québécoises

Chapitre IX
Les contrôles étatiques sur les administrations municipales québécoises

Chapitre X
La démocratie locale au Québec

corporation professionnelle des urbanistes du quebec
PIERRE BELANGER

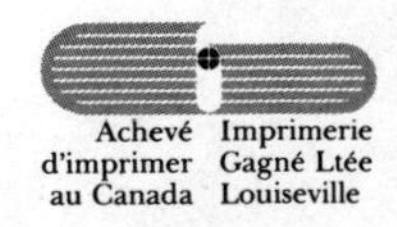
Achevé d'imprimer au Canada
Imprimerie Gagné Ltée Louiseville